AGATHA CHRISTIE

HORA ZERO

Tradução
Eliane Fontenelle

Rio de Janeiro, 2022

Título original: TOWARDS ZERO
Copyright © 1944 by Agatha Christie Mallowan

Direitos de edição da obra em língua portuguesa no Brasil adquiridos pela CASA DOS LIVROS EDITORA LTDA. Todos os direitos reservados. Nenhuma parte desta obra pode ser apropriada e estocada em sistema de banco de dados ou processo similar, em qualquer forma ou meio, seja eletrônico, de fotocópia, gravação etc., sem a permissão do detentor do copirraite.

Contatos
Rua da Quitanda, 86, sala 218 — CEP 20091-005
Centro — Rio de Janeiro — RJ
Tel.: (21) 3175-1030

DIRETORA EDITORIAL: *Raquel Cozer*
GERENTE EDITORIAL: *Alice Mello*
EDITOR: *Ulisses Teixeira*
REVISÃO: *Guilherme Bernardo, Marcela Isensee*
PROJETO GRÁFICO DE MIOLO: *Lúcio Nöthlich Pimentel*
PROJETO GRÁFICO DE CAPA: *Maquinaria Studio*

CIP-Brasil. Catalogação-na-fonte
Sindicato Nacional dos Editores de Livros, RJ

C479h   Christie, Agatha, 1890-1976
        Hora zero / Agatha Christie ; tradução Eliane Fontenelle. - 1. ed. - r566Rio de Janeiro : HarperCollins Brasil, 2016

        Tradução de: Towards zero
        ISBN 978.85.6980.945-6

        1. Ficção policial. I. Fontenelle, Eliane. II. Título.
                                                           CDD 823
                                                            CDU 821.111-3

Printed in China

Sumário

Personagens 7

Prólogo 9

Abra a porta. Eis as pessoas 14

Branca de Neve e rosa vermelha 54

Um toque de mestre 119

Hora zero 196

PERSONAGENS

Sr. Treves — Um maduro e experiente advogado de oitenta anos, cuja excelente memória de crimes anteriores causou sua morte.

Andrew MacWhirter — Um homem completamente arruinado, salvo a contragosto de uma tentativa de suicídio, estava por acaso no mesmo local, alguns meses depois, para prestar o mesmo serviço a uma moça em desespero.

Superintendente Battle — Um detetive de fisionomia impassível, da Scotland Yard, cujo sistema metódico de investigações fazia com que sempre estivesse em atividade, mesmo durante suas férias.

Srta. Amphrey — Uma bem-sucedida diretora de um colégio de moças; um ótimo exemplo do perigo de teorias psicológicas imaturas na cabeça de um amador.

Sylvia Battle — A jovem filha do superintendente. Sua dolorosa experiência no internato ajudou o pai a salvar uma vítima inocente.

Nevile Strange — Um verdadeiro Apolo; tinha tudo o que um homem poderia desejar, inclusive uma excelente reputação como atleta, uma grande conta bancária e duas lindas esposas. Entretanto, não era feliz.

Kay Strange — Jovem e de natureza vibrante, com um temperamento que se equiparava a seus inigualáveis cabelos ruivos. Definitivamente não era o tipo de mulher para ficar em segundo plano em relação à primeira esposa de Nevile.

Lady Camilla Tressilian — Uma autocrata inválida que gostava imensamente de receber, mas que impôs um limite quando Gull's Point se transformou num "ménage à trois".

Mary Aldin — Abnegada e devotada dama de companhia da idosa Lady Camilla; apreciava sua posição de mediadora numa casa repleta de hóspedes tensos, até isso se tornar demasiado, mesmo para sua enorme paciência.

Audrey Strange — Sua beleza apagada e sem muito colorido tomou conta de Gull's Point, perturbando Nevile Strange e enfurecendo sua atual esposa.

Thomas Royde — Conhecido como "Fiel Thomas" por causa de sua irmã adotiva, Audrey, escondia um coração apaixonado sob sua aparente fleumática indiferença.

Ted Latimer — O atraente jovem, amigo de Kay Strange, que sempre aparecia inesperadamente onde ela estivesse.

Inspetor James Leach — Sobrinho de Battle. Novo em sua profissão, e uma vez designado para tratar do caso de assassinato em Gull's Point, aceitou a ajuda do tio, com quem aprendeu inúmeras lições úteis.

Prólogo

19 de novembro

O grupo em volta da lareira era quase todo de advogados ou pessoas interessadas em direito. Ali estavam Martindale, o solicitador; Rufus Lord, K.C.; o jovem Daniels, que se tornou famoso com o caso Carstairs; outros advogados — o sr. Justice Cleaver, Lewis da Lewis & Trench — e, ainda, o velho sr. Treves. Este, com os seus quase oitenta anos de experiência, era o mais importante membro de um famoso escritório de advocacia. Havia solucionado vários casos difíceis no tribunal, e era tido, mais do que qualquer outro homem no país, como um profundo conhecedor dos "bastidores" da história da Inglaterra, além de ser um grande criminalista.

Os imprudentes achavam que o sr. Treves deveria escrever suas memórias, mas ele não o faria, pois estava certo de que sabia demais.

Apesar de estar há muito tempo aposentado, não havia na Inglaterra homem nenhum cuja opinião fosse tão acatada pelos colegas de profissão. Sempre que sua voz pequena e precisa se levantava, havia um silêncio respeitoso.

A conversa girava em torno de um caso muito comentado que tinha sido resolvido naquele dia, no Old Bailey. Era um caso de assassinato, e o acusado havia sido dado como inocente. Os presentes estavam ocupados reexaminando o caso e fazendo críticas do ponto de vista jurídico.

A acusação cometera um erro ao confiar numa de suas testemunhas; o velho Depleach deveria ter percebido a oportunidade que estava dando à defesa. O jovem Arthur explorou ao máximo o depoimento da criada. Bentmore, em sua alegação final, situou o assunto em sua perspectiva correta, mas já então o dano estava feito: os jurados acreditaram na moça.

Os jurados são engraçados! Nunca se sabe no que estão acreditando. No entanto, no momento em que colocam uma ideia na cabeça, ninguém consegue tirá-la. Admitiram que a moça estava falando a verdade sobre a alavanca e ponto final.

O laudo médico havia sido muito complicado para que os jurados pudessem entendê-lo. Todas aquelas expressões técnicas, o palavreado científico, as péssimas testemunhas, aqueles "cientistazinhos" sempre hesitando ao falar, não sabendo dizer sim ou não a uma pergunta simples, sempre "sob certas circunstâncias que poderiam ter ocorrido", e assim por diante.

À medida que discutiam e as observações se tornavam tumultuadas e contraditórias, crescia uma sensação de que alguma coisa estava faltando. Uma após outra, as cabeças se viraram na direção do sr. Treves, já que ainda não havia emitido a sua opinião. Aos poucos sentiu-se claramente que todos ali esperavam a palavra final de seu mais conceituado colega.

O sr. Treves, recostado na cadeira, limpava os óculos distraidamente. Alguma coisa no silêncio fez com que levantasse a cabeça e olhasse com atenção.

— Hein? — disse ele. — O que foi? Alguém perguntou alguma coisa?

O jovem Lewis falou:

— Estávamos comentando o caso Lamorne.

E parou em atitude de expectativa.

— Sim, sim — disse o sr. Treves. — Estava mesmo pensando sobre isso...

Fez-se um silêncio respeitoso.

— Mas receio — continuou o sr. Treves, limpando os óculos — que eu estava imaginando coisas a esse respeito. Sim, fantasiando. Creio que é consequência da velhice. Na minha idade podemos ter o privilégio de ser imaginativos, se quisermos, é claro.

— Realmente, senhor — comentou o jovem Lewis, parecendo confuso.

— Estava pensando — falou o sr. Treves — não apenas nos vários pormenores da lei, apesar de terem sido interessantes... muito interessantes! Se o veredicto tivesse sido outro, teriam bons motivos para apelação... creio eu. Mas não quero discutir isso agora. Estava apenas pensando, como disse, não nos pormenores da lei, mas nas... bem, nas pessoas envolvidas no caso.

Todos olharam um tanto espantados. Tinham considerado essas pessoas apenas no que dizia respeito à veracidade do que falaram, ou então como simples testemunhas. Nenhum deles, sequer, arriscou uma especulação sobre se o réu era culpado ou inocente, como o tribunal havia pronunciado.

— Seres humanos, como sabem — continuou o sr. Treves, pensativo —, seres humanos de todo tipo, espécie, tamanho e forma. Alguns inteligentes, outros não. Vindos de todos os lugares, Lancashire ou Escócia, como aquele proprietário de um restaurante na Itália e aquela professora de algum lugar da região centro-oeste dos EUA. Todos apanhados, envolvidos no caso e finalmente levados juntos, num dia cinzento de novembro ao tribunal em Londres. Cada qual contribuindo com uma pequena parte, e tudo culminando num julgamento por crime de assassinato.

Parou e bateu levemente no joelho.

— Gosto de um bom romance policial, mas, como se sabe, sempre começam do ponto errado! Começam do assassinato. Entretanto, o assassinato é o final. A história começa muito antes disso: algumas vezes anos antes, com todos os motivos e fatos que trazem certas pessoas a certos lugares, numa certa hora e num certo dia. Veja o testemunho da jovem criada: se a cozinheira não tivesse roubado seu namorado, ela não teria se descontrolado e, num acesso de raiva, ido à casa dos Lamorne, tornando-se assim a principal testemunha da defesa. O tal Giuseppe Antonelli chegara para ficar no lugar do irmão por um mês. O irmão, que é cego como um morcego, não teria visto o que os olhos aguçados de Giuseppe viram. Se o guarda não tivesse namoricado a cozinheira do número 48, não teria se atrasado em sua ronda...

Balançou a cabeça levemente.

— Todos se dirigindo para um determinado lugar... E então, quando chegar a hora: o clímax! Hora zero. Sim, todos convergindo para a hora zero... Hora zero — repetiu ele.

Teve então um pequeno estremecimento.

— O senhor está com frio. Chegue mais perto da lareira.

— Não, não — disse o sr. Treves. — É como se alguém estivesse andando sobre meu túmulo. Bem, preciso ir para casa.

Com um ligeiro e afável cumprimento, saiu da sala vagarosamente e com firmeza.

Houve um vago silêncio. Em seguida, Rufus Lord, K.C., observou que o pobre sr. Treves estava envelhecendo.

O sr. Willian Cleaver comentou:

— É um cérebro muito perspicaz... realmente muito perspicaz.

— Seu coração já está fraco — disse Lord. — Pode morrer a qualquer momento.

— Mas ele sabe se cuidar — ressaltou o jovem Lewis.

Naquele momento, o sr. Treves entrava cuidadosamente em seu confortável Daimler, que o levaria até o quarteirão sossegado onde ficava sua casa. Um solícito mordomo ajudou-o a tirar o casaco.

Entrou em sua biblioteca, onde a lareira ardia. Seu quarto ficava no mesmo andar, pois seu coração o impedia de subir escadas. Sentou-se em frente ao fogo e apanhou as cartas. Seu pensamento ainda divagava na fantasia que esboçara no clube.

"Agora mesmo, algum drama, algum assassinato futuro está sendo planejado. Se eu estivesse escrevendo uma daquelas interessantes histórias de crime e de sangue, começaria com um velho senhor abrindo sua correspondência em frente à lareira, indo irremediavelmente de encontro à hora zero."

Abriu o envelope e olhou distraidamente para a folha de papel que tinha nas mãos. De repente sua expressão mudou. Saiu da fantasia para a realidade.

— Meu Deus! — disse o sr. Treves. — Que aborrecimento! Realmente muito desagradável! Depois de tantos anos! Isso vai alterar os meus planos.

ABRA A PORTA. EIS AS PESSOAS

11 de janeiro

O homem deitado na cama do hospital moveu-se soltando um gemido. A enfermeira em serviço, levantando de sua mesa, dirigiu-se até ele. Arrumando os travesseiros, colocou-o numa posição mais confortável.

Andrew MacWhirter apenas resmungou um agradecimento. Estava num estado de profunda revolta e amargura.

A esta hora tudo já deveria ter acabado. Deveria estar livre de tudo! Maldita árvore crescendo no penhasco! Malditos namoradinhos intrometidos que enfrentaram a noite fria de inverno para comparecer ao encontro na beira do penhasco. Não fossem eles e aquela árvore, e tudo teria terminado num mergulho na profunda água gelada. Talvez, uma rápida tentativa de luta para sobreviver, e então o esquecimento: o fim de uma vida malvivida, inútil e vazia.

E agora, onde estava ele? Deitado ridiculamente numa cama de hospital, com o ombro quebrado e na expectativa de ser levado pela polícia ao tribunal, por crime de tentativa de suicídio.

Maldição! Era a sua própria vida, não?

Se seu intento tivesse sido bem-sucedido, o teriam enterrado piedosamente como um doente mental.

Maluco? Nunca estivera tão lúcido! O suicídio era a atitude mais lógica e sensata para um homem naquela situação.

Completamente arruinado financeiramente, com a saúde afetada para sempre, com uma esposa que o deixara por outro homem, sem emprego, sem carinho, sem dinheiro, saúde ou esperança, certamente acabar com tudo seria a única solução possível.

E agora estava numa situação ridícula. Breve seria admoestado, por um juiz santarrão, por haver feito a única coisa ajuizada com aquilo que somente a ele pertencia: a sua vida!

Bufou de raiva. Uma onda de febre o invadiu.

A enfermeira estava novamente a seu lado. Era jovem, ruiva, um rosto bondoso com um ar distraído.

— Está sentindo muita dor?

— Não, não estou.

— Vou lhe dar alguma coisa para dormir.

— Você não vai fazer nada disso.

— Mas...

— Acha que não posso suportar um pouco de dor e insônia?

Ela sorriu, gentilmente, de maneira um tanto superior.

— O médico disse que você poderia tomar alguma coisa.

— Não me importa o que disse o médico.

Ela ajeitou as cobertas e colocou o copo de limonada mais perto do paciente. Envergonhado de si mesmo, ele falou:

— Desculpe. Fui grosseiro.

— Não. Está tudo bem.

O fato de ela permanecer completamente impassível a seu mau humor o perturbava. Nada penetraria sua couraça de indulgente indiferença. Ele era um paciente e não um homem.

— Maldita interferência. Toda essa maldita interferência... — disse ele.

Com ar de reprovação, ela retrucou:

— Ora, ora, isso não foi muito gentil.

— Gentil? — disse ele. — Gentil? Meu Deus!

— Você se sentirá melhor pela manhã — respondeu, engolindo em seco.

— Vocês, enfermeiras. Enfermeiras! São desumanas, isso é o que são!

— Sabemos o que é melhor para vocês.

— Isso é o que mais me enfurece. Você, o hospital, o mundo. A contínua interferência, sabendo sempre o que é melhor para as pessoas. Tentei me matar. Você sabe disso, não sabe?

Ela concordou com a cabeça.

— Era um problema só meu me atirar ou não daquele penhasco. Para mim, a vida terminara. Estava completamente arruinado.

A enfermeira estalou a língua num gesto de simpatia. Ele era um enfermo, e ela o acalmava, deixando-o desabafar.

— Por que não devo me matar, se essa é minha vontade? — perguntou.

— Porque é errado — respondeu ela com seriedade.

— Errado por quê?

Ela o olhou indecisa. Não por falta de convicção, mas por não ter facilidade para se expressar.

— Bem, quero dizer, não é certo a pessoa se matar. Você tem que continuar vivendo, quer queira, quer não.

— Por quê?

— Bem, existem outras pessoas a considerar, não existem?

— Não no meu caso. Não há uma só pessoa no mundo que sentiria minha morte.

— Não tem parentes? Mãe, irmãs ou mais alguém?

— Não. Tinha uma esposa, mas ela me abandonou. E estava certa! Viu que eu não servia para nada.

— Mas você tem amigos, não é verdade?

— Não, não tenho. Não sou do tipo sociável. Escute aqui, enfermeira, vou lhe contar uma coisa. Já fui um sujeito feliz. Tinha um bom emprego e uma mulher bonita. Houve um acidente de carro. Meu patrão estava dirigindo, e eu estava com ele. Ele queria que eu dissesse que, na hora do acidente, estava dirigindo a menos de cinquenta quilômetros. Mas não estava. Estávamos a quase oitenta. Ninguém morreu ou coisa parecida. Ele apenas

queria estar com a razão para poder receber o seguro. Bem, eu não disse o que ele queria. Era uma mentira, e eu não minto!
— Bem, acho que você estava absolutamente certo. Realmente certo — disse ela.
— Você acha, não? Pois essa minha teimosia me custou o emprego. Meu patrão foi perverso. Providenciou para que não conseguisse outro emprego. Minha mulher se cansou de me ver perambulando, incapaz de conseguir trabalho. E então foi embora na companhia de um amigo meu que estava progredindo e melhorando na vida. Vagueei, descendo sempre. Comecei a beber, e isso não me ajudou a manter os empregos. Finalmente fui arrastado para baixo. Minha saúde ficou abalada, irremediavelmente abalada, como disse o médico, e àquela altura já não havia mais motivo para viver. O caminho mais fácil e mais honesto era desaparecer. Minha vida não tinha o menor valor, nem para mim, nem para os outros.
— Você não pode estar certo disso — retrucou a jovem enfermeira.
Ele riu. Já estava mais bem-humorado. Sua teimosia o divertia.
— Minha querida, para que é que eu sirvo?
— Nunca se sabe. Você pode algum dia...
— Algum dia? Não vai haver "algum dia". Na próxima vez, não vou falhar.
A enfermeira balançou a cabeça, resoluta.
— Ah, não! — disse. — Vocês nunca tentam a segunda vez!
— Por que não?
— Vocês nunca tentam!
Então ele a encarou. "Vocês nunca tentam!" Agora pertencia à classe dos quase suicidas. Ao abrir a boca para protestar energicamente, sua honestidade inata o fez parar.
Tentaria de novo? Tinha realmente a intenção de fazê-lo?
De repente soube que não tentaria. Por nenhum motivo especial. Talvez o motivo exato fosse aquele dado por ela. Suicidas não tentam outra vez.

Além do mais, ele se sentia decidido a forçar uma revelação do ponto de vista ético, por parte dela.

— De qualquer maneira, tenho o direito de fazer o que quiser com a minha própria vida.

— Não. Você não tem.

— Mas por que, minha querida?

Ela corou. Brincando com a pequena cruz de ouro pendurada em seu pescoço, falou:

— Você não compreende? Deus pode precisar de você.

Ele a encarou surpreso. Não queria perturbar sua fé infantil. Disse zombando:

— Suponho que um dia eu pare um cavalo fugitivo e salve da morte uma criança de cabelos dourados, hein? É isso?

Ela balançou a cabeça. Tentando expressar o que estava tão vívido em sua mente e tão hesitante em sua fala, disse com veemência:

— Pode ser apenas por estar em algum lugar, não por fazer alguma coisa, só por estar num determinado lugar numa determinada hora. Oh! Não consigo dizer o que penso; entretanto, você pode estar simplesmente andando por uma rua algum dia, e, só por fazer isso, realizar algo terrivelmente importante. Talvez nem mesmo sabendo que o fez.

A jovem e ruiva enfermeira era natural da costa ocidental da Escócia, e parte de sua família tinha "visões".

Talvez ela tenha visto vagamente a imagem de um homem andando por uma estrada numa noite de setembro e salvando um ser humano de uma morte terrível.

14 de fevereiro

Havia uma única pessoa na sala, e o único barulho que se ouvia era o da caneta rabiscando palavra por palavra no papel.

Não havia ninguém para ler o que estava sendo escrito. Se houvesse, dificilmente acreditaria no que estava vendo, porque estava sendo traçado um claro e detalhado plano de assassinato.

Há momentos em que o corpo tem consciência de que a mente o controla. É quando se curva obediente àquele algo estranho que comanda as ações. Há outros momentos em que a mente está consciente de possuir e controlar um corpo, e de realizar seu propósito ao usá-lo.

Era neste último estado que se encontrava a pessoa que escrevia. Era uma inteligência fria e controlada. Essa cabeça tinha apenas um pensamento e um propósito: a destruição de outro ser humano.

A fim de alcançar o propósito, o plano estava sendo cuidadosamente traçado no papel. Cada possibilidade e cada eventualidade estavam sendo consideradas. Tinha que ser absolutamente seguro. O esquema, como todo bom esquema, não estava completamente estabelecido. Sempre existiriam certas alternativas de ações para determinadas circunstâncias. Além disso, sendo inteligente, compreendia que era preciso estar preparado para os imprevistos. Contudo, as partes principais estavam claras e haviam sido cuidadosamente testadas. A hora... o lugar... a maneira... a vítima...

Levantou a cabeça. Apanhou as folhas de papel e leu cuidadosamente. Sim. Estava tudo claro como cristal.

Apareceu um sorriso em seu rosto sério. Não era um sorriso completamente são. Respirou fundo. Da mesma forma que o homem foi feito à imagem de seu Criador, ali estava agora um que era uma terrível caricatura da alegria de um criador.

Sim. Estava tudo planejado. Todas as reações previstas e levadas em consideração: o bem e o mal de cada um, explorados e harmonizados com um intento diabólico.

Faltava, porém, um detalhe...

Com um sorriso, marcou uma data. Uma data em setembro...

Então, com um riso, rasgou o papel, pegou os pedaços, atravessou a sala e jogou-os no fogo reluzente. Não haveria descuido.

Cada pedacinho foi consumido e destruído. Agora o plano existia somente na cabeça de seu criador.

18 de março

O superintendente Battle estava sentado à mesa do café. Com o maxilar cerrado, lia devagar e com atenção a carta que sua esposa chorosa lhe entregara. Não havia em seu rosto nenhuma expressão. Como sempre, nada denunciava. Tinha o aspecto de um rosto esculpido em madeira. Sólido, durável e de certa forma impressionante.

O superintendente nunca sugeria brilhantismo; definitivamente não era um homem brilhante. Tinha, porém, outras qualidades difíceis de se definir, embora fossem poderosas.

— Não posso acreditar — disse a sra. Battle soluçando. — Sylvia!

Sylvia era a mais nova dos cinco filhos do casal. Tinha 16 anos, e estava num colégio perto de Maidstone.

A carta era da srta. Amphrey, diretora do colégio. Estava escrita de uma forma gentil, precisa e com muito tato. Expunha uma série de pequenos roubos que durante algum tempo haviam intrigado as autoridades escolares, e que finalmente haviam sido esclarecidos, uma vez que Sylvia Battle os havia confessado. A srta. Amphrey gostaria ainda de ver o sr. e a sra. Battle na primeira oportunidade para que o problema fosse discutido.

O superintendente Battle dobrou a carta. Colocando-a no bolso, falou:

— Deixe isso comigo, Mary.

Levantou-se, deu a volta à mesa, fez um carinho no queixo da sra. Battle e disse:

— Não se preocupe, querida. Vai dar tudo certo.

Saiu da sala, deixando atrás de si o conforto e a segurança.

Naquela tarde, na moderna sala de visitas privativa da srta. Amphrey, o superintendente, sentado ereto, com suas grandes e rudes mãos pousadas nos joelhos, encarava a diretora, conseguindo parecer, muito mais do que habitualmente, um policial em cada milímetro.

A srta. Amphrey era uma diretora bem-sucedida. Tinha personalidade, uma grande dose de personalidade. Era esclarecida e atualizada. Associava disciplina com avançadas ideias de autodeterminação. Sua sala traduzia o espírito de Meadway. Era tudo em cor creme, com grandes jarras de narcisos e taças de tulipas e jacintos. Na parede, uma ou duas boas reproduções do grego antigo, duas esculturas modernas, dois primitivos italianos. Em meio a isso, ela própria vestida de azul-escuro, com um rosto ansioso que fazia lembrar um galgo, e com seus olhos azuis-claros observando com seriedade através de grossas lentes.

— O mais importante — dizia ela com sua voz clara e bem modulada — é que o assunto seja conduzido de forma correta. Devemos em primeiro lugar nos preocupar com a menina, sr. Battle. Com a pessoa de Sylvia! É importante, muito importante, que sua vida não seja afetada de modo algum. Ela não deve ser forçada a assumir a responsabilidade do furto. No caso de ser julgada, a atitude dela deve ser encarada com indulgência. Devemos descobrir o que existe por trás desses pequenos roubos. Será talvez um complexo de inferioridade? Como o senhor sabe, ela não se sai bem nos esportes. Ou quem sabe tenha um desejo oculto de se sobressair noutro setor? Ou ainda um desejo de afirmação? Por essa razão quis falar-lhe a sós em primeiro lugar, para aconselhá-lo a ser cauteloso ao tratar com Sylvia. Repito que é muito importante compreender o que há por trás disso.

— É por esse motivo, srta. Amphrey, que estou aqui — disse o superintendente Battle.

Sua voz estava calma, o rosto imperturbável, examinando e avaliando a diretora.

— Tenho sido muito compreensiva com ela — afirmou.
— Meus parabéns, minha senhora — retrucou ele, lacônico.
— O senhor sabe, realmente amo e compreendo essas meninas.
Battle não respondeu a isso. Apenas comentou:
— Se não se importa, gostaria de ver minha filha agora.

Novamente, com ênfase, a srta. Amphrey o advertiu para ser cuidadoso, falar com tato, não contrariar uma menina que está se tornando mulher.

O superintendente não mostrava sinais de impaciência. Seu rosto estava inexpressivo.

Finalmente ela o levou para o gabinete. Depararam com uma ou duas meninas no caminho que permaneceram de pé, educadamente, mas com os olhos cheios de curiosidade. Depois de introduzir Battle na pequena sala que não refletia tanta personalidade como a do andar de baixo, a srta. Amphrey retirou-se dizendo que iria buscar Sylvia.

No momento em que ia saindo, Battle a deteve.

— Espere um instante. Como a senhorita descobriu que era Sylvia a responsável por esses furtos?

— Usei meus métodos psicológicos, sr. Battle — falou a diretora com dignidade.

— Psicológicos? Hum... E quanto às evidências, srta. Amphrey?

— Já sabia que seria essa a sua reação, superintendente. É efeito de sua profissão. No entanto a psicologia está começando a ser reconhecida dentro da criminologia. Posso lhe assegurar que não houve erro. Sylvia admitiu tudo espontaneamente.

Battle balançou a cabeça.

— Sim, eu já sei disso. Estava apenas perguntando como a senhorita veio a desconfiar dela.

— Bem, sr. Battle, o número de coisas desaparecidas do vestiário aumentava. Reuni então as alunas e expus os fatos, enquanto estudava discretamente suas fisionomias. A expressão de Sylvia chamou-me a atenção imediatamente. Trazia a culpa estampada no rosto! Naquele instante descobri quem era a culpada. Não queria forçá-la a confessar, mas sim fazê-la admitir o erro por si mesma. Preparei um pequeno teste para ela: um teste de associação de palavras.

Ele balançou a cabeça para mostrar que estava compreendendo.

— E finalmente a menina confessou tudo.

— Entendo — disse o pai.

A diretora hesitou por um momento e então saiu.

Battle estava olhando pela janela, quando a porta se abriu novamente. Voltou-se e olhou para a filha.

Sylvia estava parada perto da porta que acabara de fechar. Era alta, morena e angulosa. Seu rosto estava sombrio e trazia vestígios de lágrimas. Falou de um modo mais tímido do que desafiante:

— Bem, aqui estou eu.

Battle olhou-a atentamente por um minuto ou dois e suspirou:

— Nunca deveria tê-la mandado para este lugar — comentou ele. — Aquela mulher é uma tola.

Sylvia, completamente surpresa, esqueceu-se até de seu problema.

— A srta. Amphrey? Mas ela é maravilhosa! Todas nós achamos.

— Hum! Então não deve ser assim tão tola, uma vez que consegue ser tão bem aceita. De qualquer maneira, este não era o lugar apropriado para você, embora tudo isso pudesse ter acontecido em qualquer outro lugar.

Sylvia torceu as mãos. Olhou para baixo e disse:

— Sinto muito, papai. Estou realmente arrependida.

— Pois deveria estar mesmo — retrucou abruptamente. — Venha cá.

Ela se encaminhou devagar e de má vontade até o pai; este, segurando-lhe o queixo com sua mão forte, a encarou:

— Você tem passado por maus momentos, não é? — perguntou carinhosamente.

Vieram lágrimas aos olhos de Sylvia.

— Olhe, Sylvia, sempre soube que havia "algo" com você. A maioria das pessoas apresenta uma ou outra forma de fraqueza. Normalmente é uma coisa banal. Pode-se observar quando a criança é egoísta, tem mau gênio ou é briguenta. Você foi uma criança boa, muito sossegada, de temperamento dócil, e que não criou nenhum problema, e isso me preocupou algumas vezes. Quando existe algum defeito que não podemos perceber, esse defeito, por vezes, arruína totalmente o indivíduo no momento em que ele é posto à prova.

— Assim como eu? — perguntou Sylvia.

— Sim, como você. Você desmoronou sob tensão, e também de uma forma muito estranha. De maneira tão esquisita como nunca vi antes.

— Sempre pensei que você encontrasse ladrões com bastante frequência — concluiu ela repentinamente e com ironia.

— Ah, sim! Eu os conheço bem. E é por isso, minha querida, e não por ser seu pai (os pais pouco sabem a respeito dos filhos), mas sim um policial, que me leva a ter certeza de que você não é uma ladra. Você nunca tirou nada deste lugar. Há dois tipos de ladrão: o tipo que se entrega à súbita e irresistível tentação (e isso acontece muito raramente. É impressionante o número de tentações a que um ser humano comum, normal e honesto pode resistir), e o tipo que simplesmente se apossa do que não lhe pertence como se isso fosse um fato natural. Você não pertence a nenhum dos dois tipos. Você não é uma ladra, mas sim um tipo raro de mentirosa.

— Mas... — Sylvia começou a falar.

Ele continuou, num impulso:

— Você admitiu tudo? Sim, eu sei. Existia uma santa que distribuía pão para os pobres. Seu marido não aprovava. Aproximou-se dela e perguntou o que havia na cesta. Ela perdeu a calma e disse que eram rosas. Ele abriu a cesta com violência, e lá estavam as rosas: um milagre! Se você tivesse sido santa Isabel e saísse com

uma cesta de rosas, e seu marido chegasse e perguntasse o que você estava carregando, você perderia a calma e diria: "Pão."
Fez uma pausa e depois disse, carinhosamente:
— Foi assim que aconteceu, não foi?
Houve um silêncio ainda maior, e repentinamente Sylvia baixou a cabeça.
Seu pai pediu:
— Conte-me, filha. O que aconteceu exatamente?
— Ela nos reuniu. Fez um discurso. Vi seus olhos fixos em mim, e senti que eles me achavam culpada. Senti-me enrubescer, e notei que algumas garotas olhavam para mim. Foi horrível. Então as outras começaram a me olhar e a cochichar. Sabia o que pensavam. Assim, certa noite a Amp nos trouxe, a mim e as outras meninas, aqui para cima, e fizemos certo tipo de jogo de palavras: ela dizia algumas palavras, e nós dávamos respostas...
Battle resmungou aborrecido.
— Compreendi o que aquilo significava e fiquei de certo modo bloqueada. Tentei não dizer a palavra errada, tentei pensar em coisas diferentes, como esquilos e flores. Enquanto isso a Amp me olhava com olhos penetrantes que mais pareciam brocas. O senhor sabe, como se me atravessassem. Tudo isso foi piorando dia após dia, até que certa vez a Amp falou comigo tão carinhosamente, tão compreensiva, que não resisti mais, confessando que tinha feito aquilo. Foi um alívio, papai!
Battle passava a mão no queixo.
— Entendo.
— Entende mesmo?
— Não, Sylvia, não compreendo, porque não sou assim. Se alguém tentasse me fazer confessar alguma coisa que eu não tivesse feito, teria vontade de lhe dar um soco no queixo. Mas posso ver o que aconteceu no seu caso. Essa tal de Amp dos olhos penetrantes teve diante do nariz um ótimo exemplo de psicologia, exatamente como qualquer amador de novas teorias

poderia desejar. Agora o importante é esclarecer essa confusão. Onde está a srta. Amphrey?

A srta. Amphrey estava discretamente por perto. O sorriso simpático desapareceu do seu rosto quando o superintendente Battle disse bruscamente:

— Para fazer justiça a minha filha, devo pedir que a senhorita chame a polícia.

— Mas, sr. Battle, a própria Sylvia...

— Ela nunca tocou em nada aqui que não lhe pertencesse.

— Posso entender que o senhor, como pai...

— Não estou falando como pai, mas sim como policial. Chame a polícia para ajudá-la nesse caso. Serão discretos. Acharão os objetos escondidos em algum lugar, e espero que encontrem também as impressões digitais. Ladrões iniciantes não se lembram de usar luvas. Vou levar minha filha comigo. Se a polícia encontrar provas, provas reais, para ligá-la aos furtos, estou preparado para levá-la ao tribunal e suportar o que lhe acontecer. No entanto, não estou receoso.

Cinco minutos mais tarde, ao atravessar o portão ao lado de Sylvia, perguntou:

— Quem é aquela garota de cabelo louro, ligeiramente crespo, as faces muito rosadas, um sinal no queixo e olhos azuis bem separados? Cruzamos com ela na passagem.

— Deve ser a Olive Parsons.

— Bem, não ficaria surpreso se fosse ela a culpada.

— Ela parecia assustada?

— Não. Parecia dissimulada. Uma aparência tão calma e tão dissimulada como as que tenho visto centenas de vezes no tribunal de polícia. Aposto um bom dinheiro como ela é a ladra. Você não a verá confessar. Jamais!

Sylvia disse com um suspiro:

— É como sair de um pesadelo. Oh, papai, sinto muito! Sinto muito! Estou realmente arrependida! Como pude ser tão boba, completamente tola? Sinto-me horrível com tudo isso.

O superintendente Battle tirou a mão do volante, acariciou o braço da filha e, para consolá-la, emitiu uma de suas frases usuais de carimbo:

— Ora, não se preocupe. Essas coisas acontecem só para nos atormentar. Sim, é isso. Pelo menos, é o que suponho. Não vejo outra razão para que sucedam.

19 de abril

O sol brilhava na casa de Nevile Strange, em Hindhead. Era um daqueles dias de abril, como acontece pelo menos uma vez durante o mês, mais quente que os dias de junho, os quais ainda estavam para chegar.

Nevile desceu as escadas usando calça branca e com quatro raquetes de tênis debaixo do braço.

Se tivessem que escolher um homem entre outros ingleses, como um homem de sorte e com tudo aquilo que alguém possa desejar, a Comissão de Seleção bem que poderia escolher Nevile Strange. Era um homem popular, excelente jogador de tênis e um desportista versátil. Apesar de nunca ter chegado às finais em Wimbledon, havia ganhado várias partidas nos torneios de abertura, e nas duplas mistas por duas vezes chegara às semifinais.

Era, talvez, um desportista versátil demais para ser campeão de tênis. Jogava golfe, era bom nadador e havia feito escaladas nos Alpes. Tinha 33 anos, ótima saúde, boa aparência, muito dinheiro, uma linda mulher com quem se casara recentemente e, ao que tudo indicava, nenhum problema ou preocupação.

Entretanto, naquela bela manhã, quando desceu as escadas, uma sombra o acompanhou. Uma sombra que só seus olhos perceberam. Estava consciente disso, e sua testa enrugada o deixava com uma expressão perturbada e indecisa.

Atravessou o saguão, ajeitando os ombros como que para livrar-se definitivamente de alguma carga. Passou pela sala de visitas indo até a varanda envidraçada, onde sua mulher estava enroscada em almofadas, bebendo um suco de laranja.

Kay Strange tinha 23 anos e era de uma beleza extraordinária. Era esbelta, mas o corpo possuía formas delicadamente exuberantes, cabelo ruivo escuro, a pele tão perfeita que para realçá-la usava pouquíssima maquiagem, olhos e sobrancelhas escuras que raramente combinam com cabelos ruivos, mas, quando isso acontece, são devastadores.

Seu marido disse alegremente:

— Olá, beleza! O que temos para o café da manhã?

— Para você, horríveis rins sangrentos, cogumelos e bacon.

— Parece bom! — exclamou Nevile.

Serviu-se das carnes e de uma xícara de café. Houve um silêncio amistoso por alguns minutos.

— Oh! — disse Kay, balançando sensualmente os pés de unhas vermelhas. — O sol não está lindo? Até que a Inglaterra não é tão desagradável.

Tinham acabado de vir do Sul da França.

Depois de ler apenas as manchetes dos jornais, Nevile passou à seção de esporte e comentou simplesmente:

— Hum!...

Deixando de lado o jornal, pegou uma torrada com geleia e em seguida abriu a correspondência. Havia muitas cartas, mas ele rasgou a maioria delas e jogou fora. Circulares, propagandas e impressos.

— Não gosto do colorido da sala de visitas. Posso reformá-la? — perguntou Kay.

— Como quiser, beleza.

— Azul-pavão — disse Kay, sonhadora — e almofadas de cetim branco.

— Você terá que colocar um macaco — retrucou Nevile.

— Você pode ser o macaco — disse Kay.

Nevile abriu outra carta.

— A propósito — falou Kay. — Shirty nos convidou para um cruzeiro de iate até Norway, no final de junho. É pena que não possamos ir.

Ela olhou cautelosamente para ele e acrescentou, ansiosa:

— Adoraria ir.

Alguma coisa como uma nuvem, uma dúvida, pairou no semblante de Nevile.

Kay perguntou revoltada:

— Temos mesmo que ir à casa lúgubre da velha Camilla?

Nevile franziu as sobrancelhas.

— Claro que temos. Olhe aqui, Kay, já discutimos isso antes. Sir Matthew foi meu tutor. Ele e Camilla tomaram conta de mim. Gull's Point é meu lar mais do que qualquer outro lugar.

— Está bem, está bem — disse ela. — Afinal de contas, quando ela morrer ficaremos com todo aquele dinheiro. Por isso, suponho que tenhamos que bajulá-la.

Nevile respondeu zangado:

— Não é uma questão de bajular! Ela não tem controle sobre o dinheiro. Sir Matthew deixou-o em usufruto. Depois ficará para mim e para minha esposa. É uma questão de amizade. Por que você não consegue entender isso?

Depois de uma pausa, Kay disse:

— Sim, entendo. Estou fazendo uma cena porque sei que lá sou tolerada apenas por ser sua esposa. Elas me detestam! Sim, essa é a verdade! Lady Tressilian, com aquele seu nariz comprido, me olha com ar de superioridade, e Mary Aldin não me encara quando fala comigo. Para você está tudo ótimo. Você não vê o que se passa.

— Sempre me pareceram muito gentis com você. Bem sabe que não admitiria o contrário.

Por debaixo de seus cílios escuros, Kay lançou-lhe um olhar estranho.

— São suficientemente educadas, mas sabem muito bem me atingir. Para elas, sou uma intrusa.

— Bem, afinal de contas, é uma reação natural, não é? — disse Nevile.

Sua voz havia mudado um pouco. Levantou-se e, de costas para ela, ficou olhando a paisagem.

— Ah! Sim! Eu diria que é natural. Eram tão devotas de Audrey, não eram? — Sua voz tremeu um pouco. — A querida, a bem-nascida, a tranquila e insípida Audrey! Camilla nunca me perdoou por ter tomado o lugar dela — disse Kay.

Nevile não se virou. Sua voz estava velada e sem vida quando falou:

— Afinal de contas, Camilla é idosa. Já passou dos setenta. Sua geração não aceita bem o divórcio. Acho até que ela reagiu muito bem à situação, considerando o quanto ela gostava de... de Audrey.

Sua voz mudou um pouco ao pronunciar seu nome.

— Elas acham que você a tratou muito mal.

— E tratei mesmo — sussurrou Nevile. Mas Kay ouviu.

— Ora, Nevile, não seja tão tolo. Só porque ela resolveu fazer drama.

— Ela não faz dramas. Audrey nunca age assim.

— Bem, você sabe a que estou me referindo. Ela foi embora, ficou doente, demonstrando sofrimento o tempo todo. É isso que chamo de drama! Audrey não é uma boa perdedora. Do meu ponto de vista, se uma mulher não consegue prender o marido, deve abrir mão dele sem criar problemas! Vocês nada tinham em comum. Ela nunca praticava esporte, era anêmica e desanimada como um trapo. Não havia nela nenhuma vida ou energia. Se realmente gostava de você, deveria em primeiro lugar pensar na sua felicidade, e ficar satisfeita por você poder ser feliz com alguém com quem tivesse mais afinidade.

Nevile voltou-se e, com um sorriso levemente sarcástico nos lábios, falou:

— Quanta sabedoria! Como você entende do jogo do amor e do matrimônio!

Kay riu e corou.

— Bem, talvez eu tenha exagerado um pouco. De qualquer maneira, uma vez acontecido, não há mais jeito. É preciso saber aceitar os fatos.

— E Audrey aceitou. Ela se divorciou para que pudéssemos casar.

— Sim, eu sei... — disse Kay hesitante.

— Você nunca entendeu Audrey.

— Não, nunca. De certa forma, ela me dá arrepios. Não sei o que há com ela. Nunca se sabe no que está pensando. Ela... Ela é um pouco assustadora.

— Que bobagem, Kay!

— Bem, ela me assusta. Talvez por ser inteligente.

— Sua linda bobinha!

Kay riu.

— Você sempre me chama assim.

— Porque é isso que você é.

Sorriram um para o outro. Nevile, indo até ela, se abaixou e beijou-lhe a nuca.

— Linda, linda Kay — murmurou ele.

— E também muito boazinha — disse ela. — Desisti da maravilhosa viagem de iate para ir visitar e ser tratada friamente pelos vitorianos parentes empertigados do meu marido.

Nevile voltou e sentou-se à mesa.

— Sabe, já que você deseja tanto ir, não vejo por que não fazermos essa viagem com Shirty.

Kay ficou atônita.

— E quanto a Saltcreek e Gull's Point?

Com a voz um tanto artificial, Nevile respondeu:

— Não vejo por que não irmos lá no começo de setembro.

— Mas, Nevile, certamente... — Ela parou.

— Não podemos ir em julho nem em agosto por causa do torneio — disse Nevile. — O encerramento, porém, será na última semana de agosto em St. Loo, e de lá poderemos ir diretamente a Saltcreek.

— Assim seria perfeito. Mas pensei... bem, ela sempre vai lá em setembro, não vai?

— Você se refere a Audrey?

— Sim. Suponho que poderiam transferir a visita dela, mas...

— Mas por que iriam fazer isso?

Kay olhou-o indecisa.

— Você quer dizer que ficaríamos lá na mesma época? Que ideia mais estranha.

Nevile disse irritado:

— Não há nada de estranho nisso. Hoje em dia, muitas pessoas agem assim. Por que não podemos ser todos amigos? Simplificaria tudo! Ora, você mesma disse isso no outro dia!

— Eu disse?

— Disse. Não se lembra? Estávamos falando sobre os Howe. Você comentou que era uma forma sensata e civilizada de encarar os fatos, e que a ex-esposa de Leonard e a atual eram ótimas amigas.

— Bem, eu não me incomodaria. Acho realmente uma atitude sensata, mas não creio que Audrey pense da mesma forma.

— Bobagem sua.

— Não é bobagem. Você sabe, Nevile, Audrey gostava imensamente de você... Não creio que suportaria essa situação nem por um minuto.

— Você está enganada, Kay. Audrey acha uma ótima ideia.

— O que você quer dizer com "Audrey acha"? Como sabe o que ela pensa?

Nevile ficou um pouco embaraçado. Pigarreou constrangido.

— Na verdade, encontrei-a ontem por acaso, quando estava em Londres.

— Você não me contou.

— Estou contando agora — disse Nevile irritado. — Foi uma simples coincidência. Estava andando pelo parque quando ela veio em minha direção. Você não iria querer que eu fugisse dela, não é?

— Não, claro que não — disse Kay, encarando-o. — Continue.

— Eu... Nós... bem, paramos, é claro, e começamos a caminhar juntos. Eu... Eu achei que era o mínimo que poderia fazer.

— Continue.

— Depois nos sentamos e conversamos. Ela foi muito amável... muito mesmo.

— Ótimo para você.

— Continuamos a conversar sobre uma coisa e outra... Ela estava espontânea e natural.

— Maravilhoso!

— Ela perguntou por você.

— Muito amável da parte dela!

— Falamos um pouco a seu respeito. Acredite, Kay, ela não poderia ter sido mais gentil.

— A querida Audrey!

— E então me ocorreu como seria bom se vocês duas fossem amigas, se pudéssemos nos reunir. Pensei que talvez fosse possível neste verão em Gull's Point. O tipo de lugar onde isso poderia acontecer com naturalidade.

— Essa ideia foi sua?

— Eu... bem, sim, é claro. Foi toda minha.

— Você nunca me falou sobre essa hipótese.

— Na verdade, só me ocorreu naquela hora.

— Entendo. De qualquer maneira, você sugeriu e Audrey concordou, achando uma brilhante ideia.

Só então Nevile percebeu alguma coisa diferente no jeito de Kay.

— Alguma coisa errada, beleza? — ele perguntou.

— Ah! Não é nada. Nada mesmo! Vocês não se preocuparam com o que eu iria achar dessa ideia?

Nevile olhou-a nos olhos.

— Mas por que você haveria de se importar?

Kay mordeu o lábio.

— Você mesma disse, no outro dia... — prosseguiu ele.

— Ah, não vamos discutir isso novamente! Estava me referindo a outras pessoas, e não a nós.

— Mas, em parte, foi isso que me levou a pensar no assunto.

— Está querendo me fazer de boba?

Nevile a olhava espantado:

— Mas, Kay, por que você se aborreceria? Não há razão para isso.

— Não há?

— Bem, quero dizer, ciúme ou coisa assim deveria partir dela. — Fez uma pausa, e sua voz mudou. — Entenda, Kay, nós tratamos Audrey terrivelmente mal. Não, não é isso que eu quero dizer. Você não tem culpa alguma. Eu é que a tratei muito mal. Não adianta nada dizer apenas que não pude evitar o que aconteceu. Se minha ideia desse certo, me sentiria muito melhor. Ficaria bem mais feliz.

— Então você não tem sido feliz? — disse Kay lentamente.

— Minha querida idiota, o que está dizendo? É claro que tenho sido feliz, extremamente feliz. Mas...

Kay o interrompeu.

— "Mas", é isso! Sempre houve um "mas" nesta casa. Uma sombra maldita rastejando pelo local. A sombra de Audrey.

Nevile a encarou.

— Não me diga que tem ciúmes de Audrey!

— Não tenho ciúme. Tenho medo. Nevile, você não conhece Audrey.

— Como não a conheço, se estive casado com ela por mais de oito anos?

— Você não a conhece — repetiu Kay.

30 de abril

— Um absurdo — disse Lady Tressilian. Ajeitou-se nas almofadas e olhou furiosamente em torno da sala. — Um absurdo completo! Nevile deve estar maluco.

— Parece realmente um tanto estranho — concluiu Mary Aldin.

Lady Tressilian tinha um perfil marcante, o nariz comprido e afilado, de tal forma que quando se inclinava ganhava uma aparência impressionante. Apesar de já ter passado dos setenta anos e de ter uma saúde frágil, sua energia mental não fora de modo algum afetada. É verdade que tinha longos períodos de abstração quando ficava deitada com os olhos semicerrados, mas saía dessas letargias com todas as suas faculdades aguçadas ao máximo, e com uma língua mordaz. Numa cama larga em um dos cantos do quarto, apoiada nos travesseiros, dominava sua corte como se fosse uma rainha da França.

Mary Aldin, uma prima afastada e que também morava ali, cuidava dela. As duas mulheres se davam maravilhosamente bem. Mary tinha 36 anos, com um daqueles rostos perenes que pouco mudam com o passar dos anos. Poderia ter tanto trinta quanto 45 anos. Tinha boa aparência e classe. O cabelo escuro, com uma mecha branca na frente, dava-lhe um ar de personalidade. Houve época em que a mecha estivera na moda, mas a de Mary era natural, uma vez que a possuía desde bem jovem. Ela olhava, pensativa, a carta de Nevile Strange que Lady Tressilian lhe entregara.

— Sim — disse ela. — Parece muito estranho.

— Não posso acreditar que seja ideia de Nevile! Alguém a colocou em sua cabeça. Provavelmente foi aquela sua nova mulher.

— Kay? A senhora acha que partiu dela?

— Seria bem próprio dela. Jovem e vulgar. Se marido e mulher, porventura, têm que anunciar seus problemas e recorrer ao divórcio, deveriam pelo menos fazê-lo com decência. Acho revoltante que ambas se tornem amigas. Hoje em dia ninguém mais tem padrões morais.

— Deve ser o costume atual — disse Mary.

— Em minha casa não vou admitir tal coisa — afirmou Lady Tressilian. — Acho que já fiz muito, recebendo aquela criatura de unhas vermelhas aqui.

— Ela é a esposa de Nevile.

— Exatamente. Por isso, achei que Matthew gostaria que eu a recebesse. Era dedicado ao menino e sempre desejou que ele considerasse esta casa como seu próprio lar. Recusar recebê-la seria o rompimento de nossa amizade. Por esse motivo, cedi e a convidei. Não gosto dela. É a esposa errada para Nevile: nem berço, nem raízes.

— Ela é bem-nascida — apaziguou Mary.

— Péssima origem — retrucou Lady Tressilian. — O pai, como já lhe contei, foi expulso de todos os clubes depois daquele problema com jogos de cartas. Felizmente morreu logo em seguida. A mãe era famosa na Riviera. Que educação para uma menina! Morava sempre em hotéis... e com aquela mãe...! Depois conheceu Nevile nas quadras de tênis, passou a atacá-lo com tal determinação que não descansou enquanto ele não abandonou a mulher, de quem tanto gostava. Ela é a culpada de tudo!

Mary sorriu timidamente. Lady Tressilian tinha a característica antiquada de sempre culpar a mulher e de ser indulgente com o homem.

— Para ser justa, devo dizer que acredito que Nevile tenha sido igualmente culpado — sugeriu Mary.

— Nevile teve muita culpa — concordou Lady Tressilian. — Tinha uma esposa encantadora, sempre dedicada, devotada até demais. Entretanto, se não fosse pela insistência dessa moça, estou convencida de que ele teria sido mais racional. Contudo, ela estava decidida a se casar com ele. Sim, minha simpatia é toda de Audrey. Gosto muito dela.

— Tudo tem sido muito difícil — suspirou Mary.
— Sim, realmente. Qualquer um fica desorientado, sem saber como agir em tais circunstâncias. Matthew e eu gostávamos de Audrey, e não se pode negar que era uma ótima esposa para Nevile. Pena não ser do tipo esportivo para ter participado mais das atividades do marido. Foi tudo muito penoso. Quando eu era jovem, essas coisas não aconteciam. É verdade que os homens tinham seus casos, mas não se admitia a hipótese de se dissolver um casamento.
— Bem, agora é diferente — enfatizou Mary bruscamente.
— Certo. Você tem bom senso, querida. De nada adianta lembrar dias passados. Hoje essas coisas acontecem, e moças como Kay Mortimer roubam os maridos de outras mulheres, sem que ninguém pense o pior delas!
— Exceto pessoas como você, Camilla.
— Minha opinião não pesa. Aquela criatura não está se importando se eu a aprovo ou não. Está ocupada demais se divertindo. Nevile pode trazê-la quando vier, e estou mesmo disposta a receber seus amigos, apesar de não gostar muito daquele jovem com ar teatral que está sempre com ela. Qual é o nome dele?
— Ted Latimer?
— É esse mesmo. Um amigo de seus dias de Riviera. Gostaria muito de saber como ele consegue viver daquela maneira.
— De sua esperteza.
— Isso seria perdoável. Acredito, porém, que viva de sua aparência. Não é um amigo adequado à esposa de Nevile. Não gostei quando, no último verão, ele se hospedou no Hotel Easterhead Bay durante a estada dos Nevile aqui.
Mary olhou pela janela. A casa de Lady Tressilian ficava num penhasco íngreme, projetando-se sobre o rio Tern. Do outro lado do rio havia o recém-construído balneário de Easterhead Bay, com uma vasta praia, um conjunto de modernos bangalôs e um grande hotel no alto de um morro, com vista para o mar. Saltcreek era uma isolada e pitoresca vila de pesca, situada na encosta de uma

colina. Era uma vila antiga, conservadora, e com um profundo desprezo por Easterhead Bay e seus veranistas.

O Hotel Easterhead Bay ficava praticamente de frente para a casa de Lady Tressilian, e Mary olhava por cima da estreita faixa de água para o espalhafatoso balneário.

— Fico satisfeita — comentou Lady Tressilian fechando os olhos — que Matthew não tenha chegado a ver essa construção vulgar. Na sua época, o litoral ainda não estava estragado.

Sir Matthew e Lady Tressilian haviam chegado a Gull's Point trinta anos atrás. Passaram-se dez anos desde que ele, um entusiasta navegador, havia se afogado na presença de sua esposa quando seu bote virou.

Todos esperavam que Lady Tressilian vendesse Gull's Point e deixasse Saltcreek, todavia ela não o fez. Sua única reação foi vender todos os barcos e acabar com a casa dos barcos. Não havia em Gull's Point barcos disponíveis para os hóspedes; assim, tinham que caminhar até o ancoradouro e alugá-los com um dos vários barqueiros disponíveis.

— Devo, então, escrever a Nevile e contar-lhe que seu propósito não vem de encontro aos seus planos? — perguntou Mary hesitante.

— Certamente nem sonho em interferir na visita de Audrey. Ela sempre vem em setembro, e não pedirei que mude seus planos.

— Nevile diz aqui que Audrey aprova a ideia, e está disposta a se encontrar com Kay — comentou Mary olhando a carta.

— Simplesmente não acredito. Nevile, como todos os homens, acredita no que quer.

Mary insistiu:

— Ele diz que conversou com ela sobre o assunto.

— Que coisa mais estranha! Não. Talvez no fundo não seja.

Mary olhou-a esperando uma explicação.

— Tal qual Henrique VIII — disse Lady Tressilian.

Mary olhou-a intrigada.

Lady Tressilian explicou a observação:
— Problema de consciência! Henrique VIII estava sempre tentando fazer com que Catarina concordasse com o divórcio. Nevile sabe que agiu mal e quer sentir-se menos culpado. Está então tentando forçar Audrey a dizer que virá encontrar Kay e que nada a perturba.
— Estava pensando... — falou Mary pausadamente.
— Em que estava pensando, minha querida?
— Estava pensando... — Ela parou e depois prosseguiu: — Esta carta nem parece de Nevile. Você acha que por algum motivo especial Audrey possa desejar esse encontro?
— Por que haveria? — perguntou Lady Tressilian categoricamente. — Depois que Nevile a abandonou, ela foi para a casa da tia, a sra. Royde, na Reitoria, onde teve um colapso nervoso. Ficou uma sombra do que era. É evidente que foi terrivelmente atingida. Ela é dessas pessoas calmas, controladas, mas que sentem as coisas intensamente.

Mary mexeu-se inquieta.
— Sim. Ela é extremamente sensível. Uma moça estranha sob vários aspectos...
— Ela sofreu muito... Veio o divórcio, Nevile casou-se com a outra, e, aos poucos, Audrey começou a se recuperar. Atualmente ela está quase aquilo que era. Não me venha dizer que agora ela quer remexer em velhas recordações.

Mary respondeu com teimosia.
— É o que Nevile diz.
A velha senhora olhou-a com curiosidade:
— Você está excessivamente obstinada em relação a esse assunto, Mary. Por quê? Está querendo que isso aconteça?

Mary Aldin corou.
— Não, claro que não.
Lady Tressilian disse rispidamente:
— Foi você quem fez essa sugestão a Nevile?

— Como pode pensar tamanho absurdo?
— Bem, nem por um segundo acreditei ser ideia de Neville. Não é próprio dele. — Fez uma pausa, e depois seu rosto se iluminou. — Amanhã é primeiro de maio, não é? Bem, no dia três Audrey virá para a casa dos Darlington em Esbank. Fica a menos de quarenta quilômetros daqui. Escreva e convide-a para almoçar conosco.

5 de maio

— A sra. Strange está aqui.
Audrey Strange entrou no amplo quarto indo até a cama. Abaixou-se, beijou a velha senhora e sentou-se na cadeira que lhe fora destinada.
— Prazer em vê-la, minha querida — disse Lady Tressilian.
— A satisfação é minha — respondeu ela.
Havia algo de inatingível em Audrey Strange. Era pálida, feições delicadas e proporcionais ao rosto ovalado. Os olhos eram de um cinza-claro e bem separados. Os cabelos, louro-acinzentados. Tinha mãos e pés pequenos. Com tal colorido, com um rosto bonito, mas não lindo, tinha, entretanto, alguma coisa que não poderia ser ignorada e que fazia com que não lhe desviassem o olhar. Lembrava um fantasma, mas ao mesmo tempo sentia-se que naquele fantasma havia algo mais real do que em qualquer ser humano vivo... Sua voz era excepcionalmente bonita, suave e límpida, como um pequeno sino de prata.
Durante alguns minutos falaram sobre amigos comuns e acontecimentos em geral. Em seguida Lady Tressilian disse:
— Além do prazer de revê-la, minha querida, eu a convidei aqui porque recebi de Nevile uma carta um tanto curiosa.
Audrey encarou-a, seus olhos estavam serenos e calmos. Falou:
— Ah, sim!

— Sugere, uma sugestão absurda, eu diria, que ele e Kay venham para cá em setembro. Deseja que você e ela se tornem amigas, e que você mesma achou essa uma ótima ideia.

Fez uma pausa. Em seguida, Audrey, com sua voz tranquila, perguntou:

— Acha a ideia assim tão absurda?

— Minha querida, você quer mesmo que isso aconteça?

Novamente Audrey calou-se por um ou dois minutos. Então, gentilmente, confessou:

— Sabe, acho que poderia ser uma boa coisa.

— Quer mesmo encontrar aquela... encontrar Kay?

— Creio, Camilla, que poderia simplificar as coisas.

— Simplificar! — repetiu Lady Tressilian com desânimo.

— Querida Camilla, a sra. tem sido tão boa. Se Nevile deseja que... — Audrey falou suavemente.

— Pouco importa o que Nevile deseja! — reagiu Lady Tressilian bruscamente. — O problema é saber se é realmente isso o que você quer.

Audrey enrubesceu. Seu rosto ganhou o brilho delicado de uma concha.

— Sim. É o que eu quero.

— Bem, então...

Fez-se uma pausa.

— Mas é claro que a sra. é quem resolve — disse Audrey. — A casa é sua, e...

Lady Tressilian fechou os olhos.

— Estou velha — enfatizou. — Não consigo entender mais nada.

— Mas é claro que... posso vir em outra época... quando a sra. achar melhor.

— Você virá em setembro como todos os anos — disse repentinamente Lady Tressilian. — Nevile e Kay também virão. Posso estar velha, mas creio que consigo adaptar-me tanto quanto qualquer outra pessoa às mudanças da vida moderna. Chega de conversa, já está resolvido.

Fechou novamente os olhos. Pouco depois, com as pálpebras semicerradas, olhou para a jovem sentada ao seu lado e perguntou:

— Então, conseguiu o que queria?

Audrey sobressaltou-se.

— Ah! Sim, sim. Obrigada.

— Minha querida — falou Lady Tressilian com tom de preocupação —, tem certeza de que essa situação não vai magoá-la? Você gostava muito de Nevile. Pode reabrir velhas feridas.

Audrey olhava para as próprias mãos. Lady Tressilian notou que uma delas agarrava com força o lado da cama. Audrey levantou a cabeça. Seus olhos estavam calmos e imperturbáveis.

— Tudo já passou. Acabou completamente.

Lady Tressilian recostou-se com mais força nos travesseiros.

— Bem, você é quem sabe. Estou cansada... Você deve ir agora, querida. Mary a espera lá embaixo. Peça a Barrett que suba.

Barrett era sua mais antiga e devotada criada. Encontrou a patroa recostada, com os olhos fechados.

— Quanto mais cedo me vá deste mundo, melhor, Barrett. Não compreendo as pessoas, nem mais nada que acontece.

— Não diga isso. A senhora está apenas cansada.

— Sim, estou cansada. Tire este edredom dos meus pés e me dê uma dose do meu tônico.

— Foi a vinda da sra. Strange que a perturbou. É uma senhora agradável, mas eu diria que um pouco de tônico lhe faria bem. Ela não é saudável. Parece estar sempre vendo coisas que ninguém mais vê. Mas tem personalidade marcante e muita presença.

— Isto é verdade, Barrett — disse Lady Tressilian. — Sim, é a pura verdade. E é também o tipo de pessoa de quem não se esquece facilmente. Sempre me pergunto se, às vezes, o sr. Nevile não pensa nela. A nova sra. Strange é muito bonita, realmente bonita, mas a Audrey Strange se faz lembrar na sua ausência.

Lady Tressilian ressaltou num rompante:
— Nevile é um tolo por querer aproximar essas duas mulheres. Será o primeiro a se arrepender.

29 de maio

Fumando cachimbo, Thomas Royde inspecionava o garoto malaio que arrumava as malas com agilidade. De vez em quando, seu olhar se dirigia até a plantação. Durante uns seis meses, não veria aquela paisagem que nos últimos sete anos lhe fora tão familiar. Seria estranho retornar à Inglaterra.

Allen Drake, seu companheiro, apareceu na porta.
— Oi, Thomas, como vão as coisas?
— Já está tudo pronto.
— Venha tomar um drinque, seu sortudo. Estou me consumindo de inveja.

Thomas Royde saiu vagarosamente do quarto e foi ao encontro do amigo. Permaneceu calado, pois era um homem singularmente lacônico. Seus amigos aprenderam a julgar suas reações pelo tipo de seu silêncio. Tinha uma figura um pouco atarracada, um rosto honesto e grave, com olhos observadores e pensativos. Seu andar era meio de lado como o de um caranguejo. Isso era o resultado do esmagamento que sofrera, por uma porta, durante um terremoto, e que mais tarde viria a contribuir para o apelido de "Caranguejo Solitário". O braço e o ombro, que haviam ficado parcialmente paralíticos, além de um andar afetado, levavam as pessoas a acreditar que ele se sentia tímido e embaraçado, o que na verdade raramente acontecia.

Allen Drake preparou as bebidas.
— Bem — disse ele —, boa caçada.
Royde resmungou alguma coisa que soou como "hum, hum".
Drake olhou-o curioso.

— Fleumático como sempre — comentou. — Não sei como consegue ser assim. Há quanto tempo está fora de casa?

— Sete anos. Quase oito.

— É muito tempo. Fico pensando se já não se transformou inteiramente em um nativo.

— É. Talvez isso tenha acontecido.

— Você sempre pertenceu mais ao grupo animal do que ao humano. Por acaso planejou essa viagem?

— Bem... sim, em parte.

Seu rosto duro e impassível de repente se tingiu de vermelho profundo.

Allen Drake comentou muito surpreso:

— Acredito que existe uma garota nessa história. Credo, você está ruborizado!

— Não seja tolo — disse Thomas Royde um tanto ríspido, segurando com mais força seu velho cachimbo.

Batendo todos os recordes anteriores, continuou a conversa:

— Certamente encontrarei tudo um pouco mudado.

Allen Drake perguntou curioso:

— Nunca entendi por que da última vez você desistiu de ir para casa. E bem em cima da hora.

Royde encolheu os ombros.

— Achei que aquela caçada poderia ser mais interessante. E já havia, então, recebido más notícias de casa.

— Mas é claro, tinha me esquecido. Seu irmão morreu naquele acidente de automóvel.

Thomas Royde concordou com a cabeça.

Drake refletiu e achou que de qualquer maneira era um motivo estranho para se cancelar uma viagem de volta para casa. Havia a mãe, e parece que também uma irmã. Certamente numa hora dessas... Lembrou-se, então, de alguma coisa. Thomas havia cancelado a passagem antes de chegar a notícia do falecimento do irmão.

Allen olhou intrigado para o amigo. Seria o velho Thomas um desconhecido?

Depois de passados três anos, podia agora perguntar:

— Você e seu irmão eram muito amigos?

— Adrian e eu? Não em especial. Cada um tinha sua vida. Ele era advogado.

"Sim", pensou Drake, "uma vida muito diferente. Escritório em Londres, festas; ganhando a vida pela sagacidade da palavra". Concluiu que Adrian Royde tinha sido um sujeito muito diferente do velho e silencioso Thomas.

— Sua mãe ainda está viúva?

— Mamãe? Sim, está.

— Você também tem uma irmã, não?

Thomas balançou a cabeça.

— Ah, pensei que tivesse. Naquela fotografia...

— Não é minha irmã. É uma prima distante ou coisa parecida. Era órfã e foi criada conosco — murmurou Royde.

Mais uma vez uma leve cor apareceu em seu rosto bronzeado.

Drake perguntou curioso:

— Ela é casada?

— Ela foi casada com o tal Nevile Strange.

— Aquele jogador de tênis etc.?

— Sim. Agora estão divorciados.

"E você vai até lá tentar sua sorte com ela", pensou Drake.

Felizmente a conversa tomou outro rumo.

— Vai pescar ou caçar?

— Primeiro vou para casa. Depois pretendo velejar em Saltcreek.

— Conheço o lugar. Encantador. E tem um bom hotel antigo, porém bastante agradável.

— Sim, o Balmoral Court. Talvez fique lá, ou me hospede na casa de uns amigos.

— Parece-me ótimo.

— Saltcreek é um lugar muito sossegado. Ninguém para nos perturbar.
— Eu sei — comentou Drake. — O tipo de lugar onde nada acontece.

16 de junho

— É realmente irritante — disse o velho sr. Treves. — Há 25 anos que me hospedo no Hotel Marine, em Leahead; e agora parece incrível, estão reformando todo o lugar. Estão ampliando a parte da frente e fazendo mais outras obras absurdas. Por que será que não deixam em paz esses lugares no litoral? Leahead sempre teve um fascínio peculiar: o estilo regência, puro regência.

Sir Rufus Lord disse, à guisa de consolo:
— Mas suponho que existam outros lugares onde se hospedar, não?
— Na realidade, não vejo como ir a Leahead. No Marine, a sra. Mackay compreendia perfeitamente minhas necessidades. Todos os anos eu ficava no mesmo quarto, e raramente havia mudanças no serviço do hotel. A comida era excelente, realmente excelente.
— E que tal ir a Saltcreek? Existe lá um hotel antigo e simpático: o Balmoral Court. O hotel está sob a gerência do casal Rogers. A sra. Rogers foi cozinheira do velho Lord Mounthead; ele dava os melhores jantares de Londres. Ela se casou com o mordomo, e agora os dois administram o hotel. Parece-me o lugar ideal para você: sossegado, sem orquestras de jazz, cozinha e serviço de primeira.
— É uma ideia, certamente uma ideia. Tem terraço coberto?
— Sim. Uma varanda coberta e também um terraço. Pode escolher a sombra ou o sol, conforme sua preferência. Se quiser, posso lhe dar uma carta de apresentação para aquela redondeza. Existe também a velha Lady Tressilian, que mora bem próximo.

Tem uma bonita casa, sendo que ela própria é uma mulher encantadora, apesar de estar praticamente inválida.
— Refere-se à viúva do juiz?
— Sim, a ela mesma.
— Eu conheci Matthew Tressilian e acho que cheguei a conhecê-la. Uma mulher encantadora, mas é claro que isso foi há muito tempo. Saltcreek é perto de St. Loo, não é? Tenho vários amigos por lá. Sabe, acho Saltcreek uma ótima ideia. Vou escrever pedindo mais detalhes. Pretendo ir em meados de agosto, e ficar até meados de setembro. Suponho que tenha garagem e lugar para o meu motorista, não?
— Sim. É inteiramente moderno.
— Pois, como você sabe, tenho que ser cuidadoso com a subida de escadas. Prefiro um quarto no andar térreo, apesar de acreditar que haja elevador.
— Sim. Há todas essas coisas.
— Parece que resolveria perfeitamente o meu problema; e apreciaria muito reencontrar Lady Tressilian.

28 de julho

Kay Strange, de short e casaquinho amarelo, estava debruçada assistindo à partida de tênis. Era a semifinal do torneio, a individual masculina, onde Nevile jogava contra o jovem Merrick, considerado o futuro campeão de tênis. Sua habilidade era inegável, e alguns de seus saques irrebatíveis. Entretanto, às vezes perdia a calma, quando a experiência e a técnica do jogador mais velho conseguiam vencê-lo.

Deslizando, Ted Latimer sentou-se na cadeira vizinha à de Kay. Comentou com a voz vagarosa e irônica:
— A esposa devotada assiste ao marido abrir caminho para a vitória!

Kay sobressaltou-se:

— Como você me assustou! Não sabia que estava aí.

— Sempre estou. A essa altura você já deveria saber.

Ted Latimer tinha 25 anos e era extremamente bonito, apesar de velhos coronéis costumarem fazer comentários maldosos contra ele: "O toque latino."

Era moreno, com um lindo bronzeado, além de ótimo dançarino. Seus olhos escuros eram muito expressivos, e controlava a voz com a segurança de um ator. Kay o conhecia desde os 15 anos. Juntos, em Juan-les-Pins, haviam tomado banho de sol, dançado e jogado. Além de amigos, tinham sido aliados.

O jovem Merrick estava sacando do lado esquerdo da quadra. A devolução de Nevile foi irrebatível: uma magnífica jogada para o fundo da quadra.

— O golpe de esquerda dele é bom — comentou Ted. — É melhor do que o de direita. Ele sabe que o fraco de Merrick é o golpe de esquerda. Vai jogar tudo o que sabe.

Terminou o *set*: 4x3. Nevile estava na liderança e continuou a levar vantagem no *set* seguinte. O jovem Merrick jogava furiosamente.

— 5x3.

— Vantagem para Nevile — falou Latimer.

Em seguida o rapaz recuperou a calma. Suas jogadas tornaram-se cautelosas, modificando o compasso de seus lances.

— Ele tem cabeça — disse Ted. — E seu trabalho de pés é de primeira classe. Vai ser uma disputa para valer!

Aos poucos, Merrick conseguiu empatar: 5x5. Chegou a 7, e finalmente ganhou a partida com 9x7.

Nevile aproximou-se da rede. Sorrindo e balançando a cabeça, cumprimentou o adversário.

— A mocidade falou mais alto — disse Ted Latimer —, 19 a 33. Mas posso lhe dizer, Kay, porque Nevile nunca chegou a campeão. É bom perdedor.

— Que bobagem!

— Não é, não. O maldito Nevile comporta-se sempre como um perfeito desportista. Nunca o vi zangado por perder uma partida.

— É claro que não — falou Kay. — Os jogadores costumam agir como Nevile.

— Ah! Não costumam mesmo. Todos nós já vimos grandes tenistas ficarem nervosos, mas nunca Nevile. Deixa que o melhor deles vença; e tudo o mais.

Kay virou a cabeça.

— Não acha que está sendo muito maldoso?

— Sim, completamente felino!

— Preferiria que não demonstrasse tão claramente que não gosta de Nevile.

— E por que haveria de gostar? Ele roubou minha garota.

Ted olhou-a demoradamente.

— Eu não era sua garota. As circunstâncias impediam.

— Certamente. Não se pode esquecer o fato de ele ter mais dinheiro.

— Cale essa boca. Apaixonei-me por Nevile e me casei com ele...

— E ele é um ótimo rapaz... É o que todos acham, não?

— Está tentando me aborrecer?

Ao fazer a pergunta, Kay virou a cabeça. Ele sorriu e imediatamente ela correspondeu ao sorriso.

— Como vai indo a temporada de verão, Kay?

— Mais ou menos. Fiz uma linda viagem de iate. Já estou bastante cansada desse negócio de tênis.

— Por quanto tempo ainda vai ter que aguentar isso? Mais um mês?

— Sim. Depois, em setembro, iremos a Gull's Point por 15 dias.

— Estarei no Hotel Easterhead — disse Ted. — Já reservei um quarto.

— Vai ser um belo acontecimento! — exclamou Kay. — Nevile, eu, sua ex-esposa e um fazendeiro da Malásia que vem para casa de férias.

— Parece muito divertido.

— E também, é claro, a prima desajeitada, sempre serviçal, em volta daquela velha desagradável, o que de nada adianta, pois o dinheiro será meu e de Nevile.

— Talvez ela não saiba disso.

— E até que seria bem engraçado — disse Kay, falando distraidamente.

Olhou para a raquete que estava rodando nas mãos. De repente prendeu a respiração.

— Ah, Ted!

— O que há, meu bem?

— Não sei. Às vezes perco a coragem. Sinto-me estranha e com medo.

— Nem parece você, Kay.

— Não pareço, não é? De qualquer maneira, você estará no Hotel Easterhead Bay.

— Conforme os planos.

Quando Kay encontrou Nevile na saída do vestiário, ele comentou:

— Vejo que seu amiguinho chegou.

— Ted?

— Sim, o cão fiel, ou talvez fosse mais apropriado dizer um lagarto.

— Você não gosta dele, não é?

— Ah! Ele não me preocupa. Se você se diverte em puxá-lo pela coleira por aí...

Nevile encolheu os ombros em sinal de indiferença.

— Acho que você está com ciúmes — disse Kay.

— De Latimer? — Sua surpresa era verdadeira.

— Ted é considerado muito atraente.

— Tenho certeza de que sim. Tem aquele charme latino.
— Você está com ciúmes! — exclamou Kay.
Nevile apertou com carinho o braço de Kay.
— Não, não estou, beleza. Você pode ter seus admiradores. Uma corte inteira deles, se quiser. Eu tenho a posse e, pela lei, o direito é meu.
— Você está muito seguro de si — contestou Kay, chateada.
— Claro que estou. Você e eu fomos predestinados. O destino nos uniu. Lembra-se do nosso encontro em Cannes: eu estava a caminho do Estoril e, de repente, quando cheguei lá, a primeira pessoa que vi foi a linda Kay. Soube então que era o destino, e que não poderia escapar.
— Não foi exatamente o destino — esclareceu ela. — Fui eu!
— O que você quer dizer com "fui eu"?
— Porque fui eu! Ouvi você dizer no hotel que ia para o Estoril, e então insisti e convenci minha mãe. Por essa razão, a primeira pessoa que você encontrou lá foi a Kay.
Nevile olhou-a com uma expressão curiosa.
Falou devagar:
— Você nunca me contou isso antes.
— Não, porque não teria sido bom para você. Poderia deixá-lo convencido. Sempre fui boa em planejar coisas. Nada acontece sem que preparemos o acontecimento. Às vezes você me chama de tola, mas a meu modo sou até bem esperta. Faço com que as coisas aconteçam. Algumas vezes planejo com bastante antecedência.
— É. O trabalho intelectual deve ser intenso.
— Pode zombar se quiser, Nevile — disse com uma estranha e repentina amargura.
— Será que só agora estou conhecendo a mulher com quem me casei? Em lugar de destino, leia-se Kay!
— Você não está zangado, está? — perguntou ela.
Seu marido disse um tanto distraído:
— Não, é claro que não. Só estava pensando...

10 de agosto

— E lá se foram minhas férias! — exclamou o superintendente Battle aborrecido.

A sra. Battle estava desapontada, mas os longos anos como esposa de um policial haviam-na preparado para aceitar com resignação esses contratempos.

— Bem, não há nada que possamos fazer — ressaltou ela. — Espero que pelo menos seja um caso interessante.

— Não é o que me parece — disse o superintendente Battle. — O Ministério das Relações Exteriores está na maior confusão: todos aqueles jovens altos e esbeltos se movimentando de um lado para o outro, dizendo: Calma! Calma! No final tudo se resolverá satisfatoriamente e solucionaremos o problema de todos. Entretanto, não é o tipo de caso que colocaria em minhas memórias, se algum dia fosse tolo o bastante para escrevê-las.

— Creio que possamos adiar nossas férias... — começou a sra. Battle indecisa, quando o marido a interrompeu com firmeza.

— De forma alguma. Você e as garotas vão para Britlington. Os quartos estão reservados desde março, e seria uma pena não aproveitá-los. Sabe o que vou fazer quando isso tudo acabar? Irei passar uma semana com Jim.

Jim era sobrinho do superintendente Battle — o inspetor James Leach.

— Saltington é bem perto da baía de Easterhead e Saltcreek — prosseguiu ele. — Posso respirar um pouco de ar puro e tomar banho de mar.

A sra. Battle torceu o nariz.

— O mais provável é que ele o convença a ajudá-lo a resolver algum caso.

— Nesta época do ano, nada acontece, a não ser que uma mulher roube coisas de pouco valor de Woolworth. De qualquer maneira, Jim está muito bem, e não precisa que o orientem.

— Ah, bem! — disse a sra. Battle. — Acredito que tudo isso dê certo, mas mesmo assim foi uma decepção.

— Essas coisas acontecem para nos atormentar — afirmou o superintendente Battle.

BRANCA DE NEVE E ROSA VERMELHA

I

Ao descer do trem em Saltington, Thomas Royde encontrou Mary Aldin esperando-o na plataforma.

Guardava dela apenas uma vaga lembrança, e agora, revendo-a, ficou agradavelmente surpreso com sua maneira ativa de lidar com as coisas.

Ela o chamava pelo primeiro nome.

— Que prazer em revê-lo depois de todos esses anos, Thomas.

— Obrigado por me hospedar. Espero não incomodar.

— Nem um pouco. Você é especialmente bem-vindo. Aquele é o carregador? Diga-lhe para trazer a bagagem por aqui. O carro está estacionado logo adiante.

As malas foram guardadas no Ford. Mary sentou-se à direção e Royde a seu lado. Partiram. Thomas notou que ela era uma boa motorista, ágil, cuidadosa no trânsito, além de segura quando calculava a distância e o espaço entre os carros.

Saltington ficava a 11 quilômetros de Saltcreek. Logo que saíram do pequeno centro comercial da cidade e pegaram a estrada, Mary Aldin voltou ao assunto de sua visita.

— Na verdade, Thomas, sua vinda nesse momento será como uma dádiva divina. Tudo está um pouco complicado, e precisamos

de um estranho, ou seja, alguém que não esteja realmente envolvido, para ajudar-nos.
— Qual é o problema?
Como sempre, seu jeito era indiferente e quase indolente. Deu a impressão de estar perguntando mais por delicadeza do que por interesse na resposta. Sua maneira acalmara Mary. Ela precisava urgentemente falar com alguém; entretanto, preferia que esse alguém fosse imparcial.
Ela disse:
— Bem, estamos numa situação bem delicada. Como deve saber, Audrey está aqui.
Ela parou interrogativa, e Thomas concordou com a cabeça.
— Nevile e a esposa também.
Thomas Royde ergueu as sobrancelhas. Depois de um instante, murmurou:
— Um tanto embaraçoso...
— Sim, é. Foi tudo ideia de Nevile.
Ela fez uma pausa. Royde não falou, mas sentiu que uma corrente de dúvida vinha da parte dela. Mary repetiu, afirmando:
— Foi realmente ideia de Nevile.
— Por quê?
Por um momento ela tirou as mãos do volante, levantando-as.
— Ah, alguma atitude moderna! Todos juntos, amigos e sensatos. Essa é a ideia. Mas não creio que esteja dando muito certo.
— Provavelmente não dará. Que tal é a nova esposa? — acrescentou ele.
— Kay? Bonita, é claro. Realmente muito bonita e bem jovem.
— E Nevile está apaixonado?
— Sim. Mas, também, estão casados há apenas um ano e meio!
Thomas Royde virou a cabeça para olhá-la, dando um pequeno sorriso. Mary apressou-se.
— Não foi exatamente isso o que eu quis dizer.
— Ora, Mary. Acho que foi, sim.

— Bem, não se pode deixar de notar que eles têm muito pouco em comum. Os amigos, por exemplo... — Ela parou.

— Ele a conheceu na Riviera, não foi? — perguntou Royde.

— Não estou bem a par do que aconteceu. Sei apenas de poucos fatos que minha mãe me contou quando me escreveu.

— Sim. Encontraram-se pela primeira vez em Cannes. Nevile sentiu-se atraído por ela. Acredito que isso já tenha acontecido antes, mas, como sempre, de uma forma inofensiva. Continuo achando que, se ela não tivesse insistido, não teria dado em nada. Como você sabe, ele gostava muito de Audrey.

Thomas concordou com a cabeça.

— Não creio que ele tivesse a intenção de se separar — prosseguiu Mary. — Estou até certa disto. Kay estava, porém, terminantemente decidida. Não descansou enquanto não o fez abandonar a esposa. E como se sente um homem em tais circunstâncias? Naturalmente que fica lisonjeado.

— Ela estava muito apaixonada por ele?

— É. Talvez tenha sido isso.

Havia dúvida no tom de voz de Mary. O olhar de indagação de Royde a fez corar.

— Estou sendo maldosa! Há sempre um velho amigo dela por perto, um jovem bonitão, com tipo de gigolô. Às vezes, não se pode deixar de pensar se o fato de Nevile ter uma boa situação financeira e prestígio nada teve a ver com isso... Afinal, ela não tinha um tostão.

Fez uma pausa parecendo envergonhada. Thomas Royde apenas exclamou:

— Hum! Hum!

— Entretanto — continuou Mary —, devo estar sendo muito maldosa. A moça é o que se pode chamar de deslumbrante, e isso, provavelmente, faz com que meus instintos felinos de solteirona venham à tona.

Royde olhou-a pensativo, porém em seu rosto impassível não se via nenhuma reação. Pouco depois ele perguntou:

— Qual é, exatamente, o problema atual?

— Para falar a verdade, não faço a menor ideia. E isso é o mais estranho. É lógico que primeiro consultamos Audrey, porém ela não se mostrou contrária ao encontro com Kay. Foi encantadora em relação a tudo. E continua sendo. Ninguém poderia ter sido mais simpática. Aliás, é sempre correta em tudo o que faz. Seu comportamento com o casal é perfeito. Como você sabe, ela é muito reservada. Nunca se tem ideia do que realmente está sentindo ou pensando, mas sinceramente não acredito que essa situação não a perturbe.

— Não vejo por que haveria de perturbá-la — disse Thomas.

— Afinal, já se passaram três anos — acrescentou ele pouco depois.

— Será que pessoas como Audrey esquecem? Ela gostava muito de Nevile.

Thomas mexeu-se no banco.

— Ela tem apenas 32 anos. Há uma vida inteira pela frente.

— Ah! Eu sei. Mas sofreu muito. Como você sabe, teve um colapso nervoso.

— Eu sei. Minha mãe me escreveu contando.

— De certa maneira — disse Mary —, ter que cuidar de Audrey foi até bom para a sua mãe. Distraiu-a de seu próprio sofrimento: a morte de seu irmão. Sentimos muito o que aconteceu.

— Eu sei. Pobre Adrian. Sempre dirigiu em alta velocidade.

Ficaram calados. Mary fez sinal com o braço para avisar que iria tomar o caminho para Saltcreek.

Enquanto passavam pela estrada estreita e cheia de curvas, ela perguntou:

— Thomas, você conhece bem Audrey?

— Mais ou menos. Não a tenho visto muito nesses últimos dez anos.

— Eu sei. Mas você a conheceu ainda criança. Ela era como uma irmã para você e Adrian, não?

Ele concordou com a cabeça.

— Ela tinha... tinha alguma espécie de desequilíbrio? Ah, não é bem isso o que quero dizer. Mas sinto que atualmente há algo de muito errado com ela. É completamente desligada de tudo, e seu equilíbrio tão perfeito não é natural. Às vezes fico imaginando o que se passa por trás da sua fisionomia impassível. Uma vez ou outra, sinto que existe uma emoção forte. Mas não sei bem qual é. Sei apenas que ela não é normal. Há algo estranho, e isso me preocupa. Alguma coisa no ambiente daquela casa afeta as pessoas. Estamos todos nervosos e sobressaltados. Mas não sei por quê. Algumas vezes, Thomas, sinto medo.

— Medo?

O tom de surpresa na sua voz a fez recobrar a calma e soltar um riso nervoso.

— Parece absurdo... Mas o que quero dizer é que sua chegada será boa para nós, trará uma mudança no ambiente. Veja, chegamos.

Haviam dobrado a última curva. Gull's Point ficava num planalto de pedra com vista para o rio. Havia penhascos nos dois lados. Os jardins e a quadra de tênis ficavam do outro lado, perto da estrada.

— Vou guardar o carro e já volto. Hurstall cuidará de você — disse Mary.

Hurstall, o velho mordomo, cumprimentou Thomas com o prazer de um velho amigo.

— Fico feliz em vê-lo, sr. Royde, depois desses anos todos. Lady Tressilian também ficará. O senhor dormirá no quarto leste. Creio que encontrará todos no jardim, a não ser que prefira ir primeiro para o seu quarto.

Thomas balançou a cabeça. Atravessou a sala de visitas e abriu a janela que dava para o terraço. Ficou observando sem ser visto.

Duas mulheres eram as únicas ocupantes do terraço. Uma delas estava sentada na balaustrada, olhando o rio. A outra a observava.

A primeira era Audrey... A outra deveria ser Kay Strange, que, por sua vez, não sabendo que estava sendo observada, não se preocupou em disfarçar a expressão do rosto. Talvez Thomas Royde não conhecesse bem as mulheres, mas não poderia deixar de notar que Kay Strange odiava Audrey Strange.

Audrey olhava o rio parecendo alheia ou indiferente à presença da outra.

Haviam se passado mais de sete anos desde que Thomas vira Audrey pela última vez. Examinou-a cuidadosamente. Teria ela mudado, e, se assim fosse, de que maneira?

Sim, havia uma mudança, ele concluiu. Estava mais magra, mais pálida, com uma aparência mais etérea. Porém havia mais alguma coisa, que não conseguiu definir bem. Era como se ela controlasse cada um de seus movimentos, mantendo-se presa a uma coleira, mas sempre muito atenta a tudo que acontecia a sua volta. Parecia uma pessoa com um segredo a esconder. No entanto, que segredo? Ele tinha conhecimento de alguns fatos ocorridos com ela nesses últimos anos. Havia se preparado para ouvir suas palavras de dor e perda, porém o que estava vendo agora era algo diferente do que esperava. Ela parecia uma criança que, por segurar com força um tesouro, chamava atenção para aquilo que queria esconder.

Em seguida ele olhou para a outra mulher: a atual esposa de Nevile Strange. Linda — Mary Aldin tinha razão. E também perigosa. Pensou: "Não a deixaria perto de Audrey se estivesse com uma faca na mão."

Contudo, por que haveria ela de odiar a primeira mulher de Nevile? Tudo já terminara. Atualmente, Audrey nada tinha a ver com a vida dos dois.

Passos ressoaram no terraço. Parecendo cordial, Nevile se aproximou com uma revista nas mãos.

— Aqui, a *Illustrated Review* — disse ele. — Não encontrei a outra...

Aconteceram então duas coisas ao mesmo tempo.

— Ótimo, me dê aqui — pediu Kay. E Audrey, sem virar o rosto, estendeu a mão distraída.

Nevile estava parado entre as duas. Ficou embaraçado. Antes que pudesse falar, Kay exclamou, com uma voz ligeiramente histérica:

— Eu quero a revista. Dê para mim, Nevile!

Audrey Strange sobressaltou-se, abaixou a mão e murmurou um tanto confusa:

— Ah, desculpe. Pensei que estivesse falando comigo, Nevile.

Thomas Royde notou que Nevile Strange ficara ruborizado. Deu três passos à frente e entregou a revista a Audrey, que, cada vez mais embaraçada, hesitando, respondeu:

— Ah, mas...

Kay empurrou a cadeira com um movimento brusco. Levantou-se e saiu em direção à sala de visitas. Esbarrou em Royde antes que ele tivesse tempo de se afastar.

O choque a fez recuar e olhá-lo, enquanto ele se desculpava. Só então percebeu por que ela não o tinha enxergado: seus olhos estavam cheios de lágrimas... lágrimas de raiva, ele supôs.

— Olá — disse ela. — Quem é você? Ah, mas é claro, o homem da Malásia.

— Sim — disse Thomas. — Sou o homem da Malásia.

— Agradeceria a Deus se eu estivesse agora na Malásia! Qualquer outro lugar, menos isto aqui. Detesto esta casa nojenta. Detesto todo mundo que está dentro dela!

Cenas dramáticas sempre assustaram Thomas. Olhou para Kay receoso e murmurou, sem jeito:

— Hum!

— Se não tomarem cuidado — observou ela —, vou acabar matando alguém: ou Nevile, ou aquela gata pálida lá fora!

Saiu apressadamente batendo a porta.

Thomas Royde continuou parado. Não tinha muita certeza do que faria em seguida, mas estava satisfeito por a jovem sra. Strange ter ido embora. Ficou olhando para a porta que ela batera com violência. A nova sra. Strange lembrava um felino selvagem.

Nevile surgiu, parando entre as duas portas. Estava ofegante. Cumprimentou Thomas:

— Olá, Royde, não sabia que já tinha chegado. Por sinal, viu a minha mulher?

— Ela passou por aqui há um minuto — respondeu.

Nevile saiu da sala, parecendo aborrecido.

Thomas Royde se encaminhou para o terraço. Seus passos eram leves, e somente quando estava a poucos metros de Audrey é que ela virou a cabeça.

Então ele viu seus olhos arregalados e a sua boca entreaberta. Ela desceu de onde estava, vindo em sua direção com os braços estendidos.

— Thomas! — disse ela. — Meu querido Thomas! Que bom que você está aqui.

No momento em que ele se curvou e segurou as mãos de Audrey, Mary Aldin apareceu na janela. Ao ver os dois no terraço, parou e ficou observando-os por alguns minutos. Em seguida, voltou para dentro.

II

Lá em cima, Nevile encontrara Kay no quarto. O único quarto de casal que havia na casa era o de Lady Tressilian. Os casais ficavam sempre com os dois quartos, no lado oeste da casa, que tinha uma porta de comunicação, além de um pequeno banheiro. Era uma pequena e isolada suíte.

Nevile passou pelo seu quarto indo direto ao de sua mulher. Kay tinha se jogado sobre a cama. Levantou o rosto marcado de lágrimas e gritou:

— Ah, você está aí! Já não era sem tempo!

— Por que essa confusão toda? Você ficou maluca, Kay?

Nevile falou calmamente, mas no canto de suas narinas havia sinais de raiva.

— Por que você deu a *Illustrated Review* para ela e não para mim?

— Ora, Kay, você está sendo infantil. Todo esse drama por causa de uma revista?

— Você entregou a revista para ela e não para mim — repetiu Kay com obstinação.

— Bem, e por que não? Que importância tem isso?

— Para mim, tem muita.

— Não entendo o que está havendo com você. Não pode ter esse comportamento histérico na casa dos outros. Será que não sabe se comportar em público?

— Por que deu a revista para Audrey?

— Porque ela queria.

— Eu também queria. E além do mais sou sua mulher.

— Mais um motivo para dá-la a uma mulher mais velha, e que oficialmente não é parente.

— Ela me desbancou. Era o que queria, e conseguiu. Você tomou o partido dela!

— Você está falando como uma criança idiota e ciumenta. Pelo amor de Deus, controle-se e procure se comportar corretamente em público.

— Como Audrey, não é?

Nevile falou com frieza:

— De todo o modo, ela é uma dama. Não faz cena.

— Ela está jogando você contra mim... Audrey me odeia e está conseguindo se vingar.

— Olhe aqui, Kay, chega de ser boba e melodramática. Já estou farto!

— Então vamos embora daqui. Amanhã mesmo. Detesto este lugar!

— Só estamos aqui há quatro dias.

— E já é o bastante! Por favor, vamos embora, Nevile.
— Escute aqui, Kay, já aturei o bastante. Viemos para ficar 15 dias e ficaremos.
— Se ficarmos — disse ela —, você vai se arrepender. Você e a sua Audrey! Você a acha maravilhosa.
— Não acho Audrey maravilhosa, mas sim uma pessoa extremamente boa e gentil, a quem tratei muito mal e que foi generosa me perdoando.
— É aí que você se engana — falou. Levantou-se da cama. Tinha se acalmado. Falou seriamente, quase solene: — Audrey não o perdoou, Nevile. Eu a tenho observado quando olha para você. Não sei dizer no que fica pensando, mas há alguma coisa... Ela é do tipo que não deixa ninguém saber em que está pensando.
— É pena — disse Nevile — que a maioria não seja assim.
Kay ficou muito pálida.
— Está se referindo a mim? — Havia em sua voz uma ponta de ameaça.
— Bem... você não tem sido muito discreta, tem? Você demonstra claramente todo seu rancor e mau humor. Cria uma situação ridícula para você e para mim.
— Ainda tem alguma coisa para dizer?
Sua voz estava gelada.
Ele respondeu num tom igualmente frio:
— Sinto muito se você acha que fui injusto. Mas essa é a mais pura verdade. Você tem menos autocontrole que uma criança.
— Você nunca perde a calma, não é? É sempre senhor de si, de maneiras encantadoras e controladas. Acho que você não tem sentimentos. Nem parece que tem sangue nas veias! Por que você não se solta? Por que não grita, não xinga, não me manda para o inferno?
Nevile suspirou e encolheu os ombros.
— Oh, Deus — suspirou ele.
Virou-se e saiu do quarto.

III

— Você está com a mesma aparência que tinha aos 17 anos, Thomas Royde — comentou Lady Tressilian. — O mesmo jeitão de coruja. E continua calado como sempre. Por quê?

Thomas disse vagamente:

— Não sei. Nunca tive o dom da palavra.

— Tão diferente de Adrian. Seu irmão era um conversador espirituoso e inteligente.

— Talvez seja esse o motivo. Sempre deixei a conversa a cargo dele.

— Pobre Adrian. Tinha um futuro tão promissor.

Thomas concordou com a cabeça.

Lady Tressilian mudou de assunto. Estava concedendo uma audiência a Thomas. Normalmente ela preferia receber uma visita de cada vez. Dessa forma não se cansava e podia dar maior atenção às pessoas.

— Você já está aqui há 24 horas — comentou ela. — O que está achando da situação?

— Situação?

— Não fique com essa cara de bobo. Você faz isso de propósito. Sabe muito bem a que me refiro; ao triângulo amoroso que se instalou aqui em minha casa.

Thomas respondeu com cautela:

— Parece haver um pouco de conflito.

Lady Tressilian sorriu maliciosa.

— Devo lhe confessar, Thomas, que estou me divertindo. Essa situação aconteceu contra minha vontade: na verdade, fiz o possível para evitá-la. Todavia, Nevile estava obstinado. Insistiu em reunir aquelas duas mulheres e agora está colhendo o que plantou!

Thomas Royde remexeu-se na cadeira.

— Parece-me estranho — falou ele.

— O que quer dizer com isso?

— Não pensei que Strange fosse esse tipo de sujeito.

— É interessante que você pense assim, porque foi o que também me ocorreu. Não é próprio dele. Nevile, como a maioria dos homens, preocupa-se em evitar qualquer problema ou possível aborrecimento. Desconfiei de que a ideia não tivesse partido dele, mas, se não o foi, não posso imaginar de quem possa ter sido.

Ela fez uma pequena pausa, e com uma pequena inflexão na voz, perguntou:

— Não teria sido ideia de Audrey?

Thomas respondeu de imediato:

— Não, Audrey nunca!

— E também não posso acreditar que tenha sido ideia daquela jovem infeliz, a Kay. A não ser que seja uma atriz notável. Saiba que ultimamente sinto quase pena dela.

— A senhora não gosta muito dela, não é?

— Não. Ela parece uma cabeça oca, e sem nenhum equilíbrio emocional. Mas, como lhe disse, começo a sentir pena. Tem se comportado de modo desajeitado e desnorteado. Não sabe que armas usar. Mau humor, péssimas maneiras, grosserias infantis, e tudo o que tem o pior efeito sobre um homem como Nevile.

Thomas concluiu calmamente:

— Acho que Audrey é quem está numa situação difícil.

Lady Tressilian lançou-lhe um olhar penetrante.

— Você sempre esteve apaixonado por Audrey, não é verdade, Thomas?

— Acredito que sim — respondeu imperturbável.

— Praticamente desde o tempo em que eram crianças, não é?

Ele concordou com a cabeça.

— E então Nevile apareceu, e a levou bem debaixo do seu nariz.

Ele se mexeu, inquieto, na cadeira.

— Bem... Sempre soube que não tinha a mínima chance.

— Derrotista! — disse Lady Tressilian.
— Sempre fui um tolo.
— Pacato demais!
— Thomas, o bonzinho! É isso o que Audrey pensa de mim.
— O Fiel Thomas — lembrou Lady Tressilian. — Era assim que o chamavam, não era?

Ele sorriu, pois essas palavras traziam lembranças de sua infância.

— Engraçado! Não ouço isso há muito tempo.
— Pode ser que agora isso lhe traga vantagem.

Ela correspondeu ao seu olhar, franca e demoradamente.

— Fidelidade — disse ela — é uma condição que qualquer pessoa que tenha passado pela experiência que Audrey passou deve apreciar. A devoção de uma vida inteira, Thomas, às vezes é recompensada.

Royde olhou para baixo, desajeitado com seu cachimbo.

— Vim para cá com essa esperança — falou ele.

IV

— E aqui estamos todos — disse Mary Aldin.

Hurstall, o velho mordomo, enxugou a testa. Quando entrou na cozinha, a sra. Spicer, a cozinheira, comentou sobre seu aspecto.

— A verdade é que não posso estar bem — afirmou ele. — Tenho a impressão de que, atualmente, tudo o que é dito e feito nesta casa tem um significado diferente do que aparenta: será que você compreende?

A sra. Spicer parecia não entender, e Hurstall prosseguiu:

— Agora mesmo, quando todos sentaram para jantar, a srta. Aldin disse: "E aqui estamos todos." Isso me assustou. Fez-me pensar em um treinador preso numa jaula com as portas fechadas, com um bando de animais selvagens. De repente, tive a impressão de termos caído numa armadilha.

— Ora, sr. Hurstall! — impacientou-se a sra. Spicer. — O senhor deve ter comido alguma coisa que não lhe fez bem.

— Não é problema de digestão. É o estado de nervos em que todos se encontram. Ainda há pouco, a porta da frente bateu, e a nossa sra. Strange, a sra. Audrey, sobressaltou-se como se tivesse levado um tiro. Existem ainda os silêncios, que são muito estranhos. É como se de repente todos tivessem medo de falar. Logo em seguida, começam a tagarelar todos ao mesmo tempo, dizendo a primeira coisa que lhes vem à cabeça.

— Realmente, é o bastante para deixar qualquer pessoa embaraçada — concordou a sra. Spicer. — Duas senhoras Strange na mesma casa. Não acho decente.

Agora, a sala de jantar estava num daqueles silêncios a que Hurstall tinha se referido.

Foi com muito esforço que Mary Aldin se dirigiu a Kay e disse:

— Convidei seu amigo, o sr. Latimer, para jantar aqui amanhã.

— Ótimo! — disse Kay.

Nevile perguntou:

— Latimer está aqui?

— Está hospedado no Hotel Easterhead Bay — respondeu Kay.

— Podemos ir jantar lá qualquer noite destas. Até que horas a barca funciona? — indagou Nevile.

— Até uma e meia — respondeu-lhe Mary.

— Imagino que dancem por lá toda noite, não?

— Lá, a maioria das pessoas tem cem anos! — exclamou Kay.

— Não deve ser muito divertido para o seu amigo — disse Nevile a ela.

Mary retrucou prontamente:

— Podemos ir nadar em algum desses dias na baía de Easterhead. Ainda está calor, e a praia é linda.

Em voz baixa, Thomas sussurrou para Audrey:
— Pensei em velejar amanhã. Gostaria de ir?
— Gostaria, sim.
— Podemos ir todos — afirmou Nevile.
— Pensei que você tinha dito que ia jogar golfe — lembrou Kay.
— Realmente pensei em ir ao campo de golfe. No outro dia joguei bem mal.
— Que tragédia! — exclamou sua esposa.
Nevile respondeu, bem-humorado:
— Golfe é um jogo trágico.
Mary perguntou a Kay se ela jogava.
— Sim. Jogo mais ou menos.
Nevile ressaltou:
— Ela seria uma boa jogadora se levasse o jogo mais a sério.
Kay perguntou a Audrey:
— Você não pratica nenhum esporte, não é?
— Na realidade não. Jogava um pouco de tênis, mas sou inteiramente desajeitada.
— Você ainda toca piano, Audrey? — perguntou Thomas.
— Atualmente não.
— Você costumava tocar muito bem — enfatizou Nevile.
— Pensei que não apreciasse música, Nevile — retrucou Kay.
— Não entendo muito de música — disse ele vagamente. — Nunca compreendi como Audrey, tendo as mãos tão pequenas, conseguia dar uma oitava.
Ele a estava olhando quando Audrey pousou os talheres.
Ela corou um pouco e disse apressada:
— Meu dedo mínimo é muito comprido. Creio que isso ajuda.
— Você então deve ser egoísta — comentou Kay. — Senão seu dedo mínimo seria curto.
— Isso é verdade? — perguntou Mary Aldin. — Então devo ser altruísta. Olhe, meus dedos mínimos são bem curtos.

— Acho você muito generosa — falou Thomas Royde, olhando-a com carinho.

Ela ficou vermelha, porém continuou prontamente:

— Quem será o menos egoísta de nós? Vamos comparar os dedos mínimos. O meu é mais curto que o seu, Kay. Mas acho que Thomas ganha.

— Eu ganho de vocês dois — apressou-se Nevile. Olhem!

— E esticou a mão.

— Mas só em uma das mãos — lembrou Kay. — O dedo mínimo de sua mão esquerda é curto, mas o da mão direita é comprido. E sua mão esquerda é o que nasce com você, e a direita é o resultado do que você faz de sua vida; o que significa que você nasceu egoísta, mas foi se tornando altruísta à medida que o tempo passou.

— Você pode ler o futuro, Kay? — perguntou Mary Aldin, estendendo-lhe a mão, com a palma virada para cima. — Uma quiromante me disse que eu ia ter dois maridos e três filhos. Vou ter que me apressar!

Kay corrigiu:

— Essas pequenas cruzes não significam crianças, e sim viagens. Você fará três viagens marítimas.

— Isso também parece improvável — enfatizou Mary.

— Você já viajou muito? — perguntou Thomas Royde.

— Não.

Notando uma tristeza oculta em sua voz, continuou:

— Gostaria de viajar?

— Mais do que qualquer outra coisa.

Ele refletiu sobre o tipo de vida que Mary levava. Sempre a serviço de uma mulher mais velha. Calma, diplomática, uma excelente administradora. Em seguida, perguntou curioso:

— Você vive com Lady Tressilian há muito tempo?

— Há quase 15 anos. Vim para cá logo depois da morte de meu pai, que já estava inválido há alguns anos antes de morrer.

Depois, respondeu à pergunta que ele estava querendo fazer:
— Tenho 36 anos. Era isso o que você queria saber, não?
— Eu estava imaginando — admitiu ele. — Você poderia ter qualquer idade, percebe?
— Esse comentário pode ter duplo sentido.
— É, imagino que sim.

Seu olhar pensativo e sombrio não se afastava do rosto de Mary. Ela porém não se sentia constrangida, pois havia nele um interesse genuíno e atencioso, despido de crítica. Vendo-o observar seus cabelos, ela passou a mão na mecha branca e disse:
— Tenho essa mecha desde muito jovem.
— Gosto dela — comentou Thomas simplesmente.

Ele continuou a fitá-la. Por fim, num tom ligeiramente divertido, ela perguntou:
— Bem, qual é o veredicto?

Sob o rosto bronzeado, ele corou:
— Ah! É indelicado ficar encarando. Só estava curioso a seu respeito; queria saber como você é realmente.
— Por favor — disse ela precipitadamente, levantando-se da mesa. Ao entrar na sala de visitas, segurando Audrey pelo braço, falou: — O velho sr. Treves também vem jantar amanhã.
— Quem é? — perguntou Nevile.
— Ele trouxe uma carta de apresentação de Rufus Lord. É um senhor encantador. Está hospedado no Balmoral Court. Sofre do coração e tem uma aparência frágil, mas suas faculdades mentais estão perfeitas, e ele conheceu muita gente interessante. Não lembro se é advogado ou solicitador.
— Todos aqui são tão velhos! — exclamou Kay descontente.

Ela estava parada bem debaixo da luz, na mesma direção para a qual Thomas olhava. Olhou-a com o pouco interesse que sempre dava a tudo que estava diretamente diante de seus olhos.

De repente foi fulminado pela beleza intensa e ardente de Kay. Uma beleza de muito colorido, repleta de vitalidade. Dirigiu então o olhar para Audrey, apagada e sem colorido, com seu vestido prateado.

Ele sorriu para si mesmo e murmurou:

— Rosa Vermelha e Branca de Neve.

— O quê? — Era Mary Aldin perguntando ao seu lado.

Ele repetiu as palavras:

— Como aquele velho conto popular, você sabe...

Mary disse:

— É uma ótima comparação...

V

O sr. Treves bebia seu vinho com prazer. O vinho estava ótimo, e o jantar muito bem servido. Era evidente que Lady Tressilian não tinha problemas com seus empregados. A casa também era bem administrada, apesar de sua dona ser uma inválida.

Pena que as senhoras não tenham se retirado da sala de jantar quando o vinho do Porto foi servido. Ele preferia o costume antigo, porém os jovens têm hábitos diferentes.

Seus olhos pousaram pensativos na radiante beleza da jovem mulher: a atual esposa de Nevile Strange.

Aquela noite era de Kay. Sua resplandecente beleza brilhava à luz das velas. Ao seu lado, Ted Latimer, com seus cabelos escuros e brilhantes, bajulava-a, fazendo-a se sentir triunfante e segura de si mesma.

A simples visão de tamanha e tão radiante vitalidade deixava o sr. Treves animado.

"Juventude! Realmente, nada como a juventude!", pensou.

Não era de se admirar que o marido tivesse perdido a cabeça e deixado a primeira mulher. Audrey estava sentada perto dele.

Uma criatura encantadora e também uma dama. Porém, segundo a experiência do sr. Treves, ela era o tipo de mulher que invariavelmente acaba abandonada.

Ela estava com a cabeça abaixada olhando para o prato. Sua completa imobilidade chamou a atenção do sr. Treves, que a observou mais atentamente. Ficou imaginando no que ela estaria pensando. Achou encantadora a maneira como o cabelo caía sobre sua pequenina orelha...

Ao notar que alguma coisa estava acontecendo, o sr. Treves, com um pequeno sobressalto, voltou a si. Num movimento rápido ficou de pé.

Na sala de visitas, Kay Strange foi até a vitrola e colocou um disco para dançar.

Mary Aldin desculpou-se com o sr. Treves:

— Estou certa de que o senhor detesta jazz.

— De forma alguma — disse ele educadamente, apesar de não estar sendo sincero.

— Talvez mais tarde possamos jogar bridge — sugeriu ela.
— Mas não começaremos uma partida agora, pois sei que Lady Tressilian o aguarda para conversarem.

— Está bem, com muito prazer! Lady Tressilian nunca desce para o jantar?

— Não. Antes ela costumava descer numa cadeira de rodas. Por isso instalamos um elevador. No entanto, atualmente ela prefere ficar no seu quarto. Lá ela pode receber apenas quem desejar, convocando seus convidados com uma espécie de Ordem Real.

— Muito bem expressado, srta. Aldin. Estou ciente do toque real nas maneiras de Lady Tressilian.

No centro da sala, Kay ensaiava alguns passos de dança.

— Tire esta mesa do caminho, Nevile — pediu ela.

Sua voz era autoritária e segura. Seus olhos brilhavam, e sua boca estava entreaberta.

Obediente, Nevile empurrou a mesa. Ela caminhou em sua direção, mas, deliberadamente, virou-se para Ted Latimer.

— Venha, Ted, vamos dançar.

Ted imediatamente passou o braço em torno dela. Dançavam, movendo-se, balançando, os passos perfeitamente coordenados. Era um lindo espetáculo.

O sr. Treves murmurou:

— Ah! Bastante profissional.

Mary Aldin estremeceu ligeiramente ao ouvir a palavra. Entretanto, o sr. Treves falara apenas por simples admiração. Olhando para seu rosto sagaz, notou uma expressão distraída, como se ele estivesse perdido nos próprios pensamentos.

Nevile hesitou por um momento, indo depois até Audrey, que estava parada perto da janela.

— Quer dançar, Audrey?

Seu tom era formal, quase frio. Dir-se-ia que seu pedido fora por simples delicadeza. Audrey Strange hesitou um pouco antes de aceitar e dar um passo em direção a ele.

Mary fez alguns comentários banais, aos quais o sr. Treves não respondeu. Até então ele não havia mostrado sinais de surdez, e sua educação era perfeita. Ela concluiu que ele deveria estar absorto em alguma coisa; e era esse o motivo de sua distração. Ela não pôde descobrir se ele observava os casais dançando, ou Thomas Royde parado, sozinho, do outro lado.

Com um pequeno sobressalto, o sr. Treves perguntou:

— Desculpe-me, senhorita, sobre o que estava falando?

— Nada. Apenas comentava que não é normal, agora em setembro, termos um tempo tão bom como estamos tendo.

— Sim, realmente. No hotel disseram-me que está precisando chover urgentemente.

— Espero que o senhor esteja bem instalado.

— Ah, sim! Apesar de ter me aborrecido ao chegar e encontrar...

O sr. Treves se deteve.

Audrey tinha se soltado dos braços de Nevile. Com um sorriso, ela se desculpou:

— Está muito quente para dançar.

E saiu para o terraço.

— Vá atrás dela, seu tolo — murmurou Mary. Ela pretendia falar baixo, porém foi alto o bastante para o sr. Treves virar-se e olhá-la surpreso.

Ela ficou encabulada e riu embaraçada.

— Estou pensando alto — comentou ela, triste. — Mas ele me irrita tanto. É lento demais!

— O sr. Strange?

— Oh, não, não o Nevile. Thomas Royde.

Enquanto Thomas fazia um gesto para sair, Nevile, depois de uma pequena pausa, já havia seguido Audrey.

Por um momento, o sr. Treves olhou pensativo para a porta, e depois sua atenção voltou-se para os dançarinos.

— Um ótimo dançarino, o jovem senhor... Latimer, é esse o seu nome?

— Sim. Edward Latimer.

— Ah, Edward Latimer. Um velho amigo da sra. Strange, não é?

— Sim.

— E o que esse jovem tão, hã... decorativo faz para ganhar a vida?

— Bem, na verdade eu não sei.

— Realmente! — disse o sr. Treves, conseguindo colocar uma grande dose de compreensão numa palavra tão inofensiva.

Mary prosseguiu:

— Ele está hospedado no Hotel Easterhead Bay.

— Uma situação muito agradável — comentou o sr. Treves.

Depois de um ou dois minutos, ele acrescentou, divagando:

— Tem um formato de cabeça muito interessante: um curioso ângulo da cabeça ao pescoço, disfarçado pelo seu corte de cabelo. Mas é realmente fora do comum.

Depois de outra pausa, continuou, ainda, a divagar:

— O último homem que vi com esse formato de cabeça pegou dez anos de cadeia por uma brutal agressão a um velho joalheiro.

— Certamente, o senhor não quer dizer...! — exclamou Mary.

— Não, claro que não — disse o sr. Treves. — A senhorita não compreendeu. Não estou fazendo qualquer comparação injuriosa com um convidado seu. Estava apenas mostrando que um criminoso brutal pode estar escondido por trás de um jovem encantador e atraente. Parece estranho, mas é a mais pura verdade.

Ele sorriu amavelmente. Mary disse-lhe:

— Sabe, sr. Treves, acho que estou com medo do senhor.

— Que bobagem, senhorita.

— Mas estou. O senhor é um observador muito perspicaz.

— Meus olhos — explicou o sr. Treves complacente — continuam perfeitos. — Fez uma pausa e depois prosseguiu: — Se isso é bom ou ruim, no momento não consigo saber.

— Como poderia ser ruim?

Indeciso, o sr. Treves balançou a cabeça.

— Às vezes, nos encontramos numa posição de responsabilidade. Nem sempre é fácil decidir a atitude certa a ser tomada.

Hurstall entrou, carregando a bandeja de café.

Depois de servir Mary e o velho advogado, foi até o canto da sala onde estava Thomas Royde. Em seguida, seguindo instruções de Mary, pousou a bandeja na mesa baixa e saiu da sala.

— Vamos acabar de dançar essa música — falou Kay por cima do ombro de Ted.

— Vou levar o de Audrey lá fora — disse Mary, saindo pela porta com a xícara na mão. O sr. Treves a acompanhou. Quando ela parou na soleira da porta, ele olhou-a por cima do ombro.

Audrey estava sentada na beira da balaustrada. À luz da lua, sua beleza ganhava vida: uma beleza feita de contornos, e não de colorido. Uma linha perfeita do maxilar à orelha, queixo e boca delicadamente modelados, os ossos da cabeça realmente bonitos e um nariz pequeno e reto. Essa beleza se conservaria até quando Audrey Strange se tornasse uma mulher velha, pois nada tinha a ver com a sua pele — os seus ossos é que eram bonitos. O vestido brilhante que usava acentuava o efeito do luar. Ela estava sentada, parada enquanto Nevile a olhava.

Ele se aproximou:

— Audrey — disse ele —, você...

Ela mudou de posição, levantou-se repentinamente colocando a mão na orelha:

— Ah! Meu brinco... devo tê-lo deixado cair.

— Onde? Deixe que eu procuro...

Ambos se abaixaram, desajeitados e embaraçados, esbarrando um no outro. Audrey recuou, e Nevile exclamou:

— Espere um minuto... minha abotoadura... prendeu em seu cabelo. Fique parada.

Ela ficou parada enquanto ele manuseava desastradamente a abotoadura.

— Oh, você está puxando o meu cabelo! Como você é desajeitado, Nevile. Acabe logo com isso.

— Sinto muito. Sou mesmo desajeitado.

O luar estava bastante claro para que os dois espectadores vissem o que Audrey não podia ver: o tremor das mãos de Nevile ao tentar soltar os fios daquele cabelo bonito e acinzentado. Entretanto, Audrey também tremia, como se de repente sentisse frio.

Mary Aldin assustou-se quando uma voz calma, atrás dela, falou:

— Com licença... — pediu Thomas Royde se aproximando.

— Posso ajudar, Strange?

Nevile levantou, afastando-se de Audrey.

— Está tudo bem. Já consegui.

O rosto de Nevile estava bastante branco.

— Você está com frio — comentou Thomas com Audrey.
— Entre e tome seu café.

Ela voltou com ele, enquanto Nevile virou-se, encaminhando-se para o mar.

— Trouxe o seu café aqui para fora — disse Mary. — Mas talvez seja melhor você entrar.

— Sim — respondeu Audrey. — Tem razão. É melhor entrar.

Todos voltaram para a sala de visitas. Ted e Kay tinham parado de dançar.

A porta abriu quando uma mulher magra e alta, vestida de preto, entrou e falou respeitosamente:

— Minha senhora manda os seus cumprimentos e gostaria de ver o sr. Treves.

VI

Lady Tressilian recebeu o sr. Treves com evidente prazer. Logo depois estavam mergulhados em agradáveis recordações, também lembrando amigos em comum.

Meia hora depois, ela soltou um profundo suspiro de satisfação.

— Ah! — exclamou. — Passei bons momentos. Não há nada como ficar a par das novidades e relembrar velhos escândalos.

— Um pouco de malícia dá certo sabor à vida — concordou o sr. Treves.

— A propósito — disse Lady Tressilian —, o que o senhor achou do nosso triângulo amoroso?

O sr. Treves ficou discretamente inexpressivo.

— Hum... Que triângulo?

— Não me diga que não notou? Nevile e suas duas esposas.
— Ah, isso? A atual sra. Strange é uma jovem extremamente atraente.
— Audrey também o é — afirmou Lady Tressilian.
— Sim, ela tem encanto — admitiu o sr. Treves.
— O senhor quer dizer que compreende que um homem possa deixar Audrey, que é uma pessoa de rara qualidade, por... por uma Kay? — perguntou Lady Tressilian.
— Perfeitamente. Acontece com frequência — replicou o sr. Treves com calma.
— É revoltante. Se eu fosse homem, logo me cansaria de Kay e desejaria nunca ter feito tamanha besteira!
— Isso também acontece com frequência. Essas grandes e súbitas paixões — comentou o sr. Treves, parecendo impassível e preciso — raramente têm longa duração.
— E o que costuma acontecer depois? — perguntou ela.
— Normalmente — explicou o sr. Treves — eles se ajustam. Muitas vezes há um segundo divórcio. O homem se casa com uma terceira pessoa, alguém de bom gênio.
— Absurdo! Nevile não é nenhum mórmon, ou seja lá o que alguns de seus clientes possam ser.
— Às vezes, acontece, o antigo casal torna a se unir.
Lady Tressilian balançou a cabeça.
— Isso nunca! Audrey é muito orgulhosa.
— A senhora acha?
— Tenho certeza. Não balance a cabeça dessa forma irônica.
— Falo por experiência — concluiu o sr. Treves — que as mulheres têm pouco ou nenhum orgulho nas questões do amor. Orgulho é uma palavra muito comum em suas bocas, entretanto não aparece em suas ações.
— O senhor não entende Audrey. Ela amava profundamente Nevile... Talvez em demasia. Depois que ele a abandonou por aquela moça, apesar de não o culpar inteiramente por isso (ela o

perseguia por toda a parte, e o senhor sabe como são os homens), Audrey nunca mais quis vê-lo.

O sr. Treves tossiu levemente.

— Entretanto — disse ele —, ela está aqui!

— Bem — retrucou Lady Tressilian aborrecida —, não digo que compreenda essas ideias modernas. Imagino que Audrey esteja aqui apenas para mostrar que não se importa, e que tudo já passou.

— Pode ser — duvidou o sr. Treves, esfregando o queixo. — Certamente que, para si mesma, ela possa colocar o assunto nesses termos.

— Quer dizer — falou ela — que o senhor pensa que Audrey ainda continua ansiosa atrás de Nevile e que... ah, não! Não posso acreditar em tal coisa.

— Mas pode ser — opinou o sr. Treves.

— Pois eu não aceito — disse Lady Tressilian. — Não em minha casa.

— A senhora já está confusa, não está? — perguntou ele astutamente. — Existe tensão. Senti no ambiente.

— Então o senhor também sentiu? — perguntou ela abruptamente.

— Sim. E devo confessar que estou intrigado. Os verdadeiros sentimentos do grupo permanecem obscuros. Mas, em minha opinião, o pavio está aceso. A explosão pode vir a qualquer hora.

— Pare de falar como Guy Fawkes e diga-me o que fazer — pediu Lady Tressilian.

O sr. Treves levantou as mãos.

— Na verdade, não sei o que sugerir. Tenho certeza de que existe um foco. Se pudéssemos isolá-lo... mas há tanta coisa que permanece obscura...

— Não tenho intenção de pedir a Audrey que vá embora — disse Lady Tressilian. — Até onde pude observar, ela tem se comportado de maneira correta, numa situação muito difícil.

Tem sido educada, mas mantendo distância dele. Considero sua conduta irrepreensível.

— Sim — concordou ele. — Bastante. Mas, mesmo assim, está tendo um efeito muito marcante sobre o jovem Nevile Strange.

— Nevile — disse Lady Tressilian — não está se comportando bem. Falarei com ele sobre isso. Porém, não posso nem pensar em mandá-lo embora desta casa. Matthew o considerava praticamente como um filho adotivo.

— Eu sei.

Lady Tressilian, suspirando, perguntou em voz baixa:

— O senhor sabe que Matthew morreu afogado aqui em Gull's Point?

— Sim, eu soube.

— Muitas pessoas ficaram surpresas por eu ainda permanecer neste lugar, o que eu considero pura ignorância. Aqui sempre senti Matthew perto de mim. A casa inteira está cheia da presença dele. Ficaria solitária e desconfortável em qualquer outro lugar. — Fez uma pausa e prosseguiu: — No começo, tive a esperança de que não demoraria a me juntar a ele, principalmente quando minha saúde começou a fraquejar. Mas parece que sou um desses inválidos perpétuos que não morrem nunca. — Zangada, deu uma pancada no travesseiro. — É horrível! Sempre desejei que, quando chegasse minha hora, fosse tudo rápido. Que encontrasse a morte cara a cara, e que não a sentisse rastejando ao meu lado, gradativamente me forçando a sucumbir de uma humilhação a outra, por força da doença. Aumentando o meu desespero, e minha dependência com as outras pessoas.

— Entretanto, tenho certeza de que são pessoas muito devotadas. A senhora tem uma criada fiel, não tem?

— Barrett? A que acompanhou o senhor até aqui em cima? É o conforto da minha vida. Uma velha severa e briguenta que está comigo há anos.

— E a senhora tem sorte em ter a srta. Aldin.

— O senhor tem razão. Tenho sorte em ter Mary comigo.
— Ela é sua parenta?
— É uma prima distante. Uma dessas criaturas altruístas cuja vida é continuamente sacrificada em benefício de outros. Ela tomou conta do pai, um homem inteligente, mas de difícil relacionamento. Quando ele morreu, pedi que ela viesse morar comigo, e abençoo o dia em que veio. O senhor não tem ideia de como são terríveis, na maioria das vezes, as damas de companhia. Criaturas enfadonhas e fúteis. Chego a me exasperar com a inatividade delas. São damas de companhia só porque não servem para outra coisa melhor. É maravilhoso poder ter Mary, uma mulher inteligente e culta. Possui realmente um cérebro de primeira classe: um cérebro de homem. Ela leu muito aprofundadamente, não havendo o que não possa discutir. É esperta tanto do ponto de vista doméstico quanto do intelectual. Dirige a casa com perfeição, e mantém os empregados contentes. Acaba com todas as discussões e ciúmes. Não sei como ela consegue isso, todavia creio que use apenas de diplomacia.

— Mary está com a senhora há muito tempo?
— Há 12 anos. Não, mais do que isso. Uns 13 ou 14 anos. Uma coisa assim. Tem sido um grande conforto para mim.

O sr. Treves concordou com a cabeça.

Lady Tressilian, observando-o com as pálpebras semicerradas, perguntou de repente:

— O que há? O senhor está preocupado com alguma coisa?
— É algo sem muita importância. Uma bobagem. A senhora é muito observadora — ressaltou o sr. Treves.

— Gosto de estudar as pessoas — disse ela. — Sempre sabia o que passava pela cabeça de Matthew. — Ela suspirou e recostou-se nos travesseiros. — Agora preciso descansar. — Era a palavra de uma rainha, embora não houvesse nisso nenhuma descortesia. — Estou muito cansada. Mas foi um grande prazer. Espero que volte logo.

— Pode estar certa de que voltarei. Só espero não ter falado demais.

— Não. É o meu cansaço que vem de repente. Antes de sair, toque a campainha para mim, por favor.

O sr. Treves puxou energicamente um antiquado cordão com uma enorme borla na ponta.

— Uma relíquia e tanto — comentou ele.

— Minha campainha? Não gosto de coisas modernas. Na maior parte do tempo estão quebradas, fazendo as pessoas tocarem inutilmente, por um longo tempo. Esta nunca falha. Toca lá em cima no quarto de Barrett. Já que fica em cima de sua cama, ela nunca demora a responder. Se por acaso demora, eu chamo logo em seguida.

Ao sair do quarto, o sr. Treves ouviu a campainha tocar pela segunda vez, ressoando em algum lugar do andar de cima. Olhou e viu os fios estendidos no teto. Barrett, que desceu correndo as escadas, passou por ele indo atender a patroa.

O sr. Treves desceu vagarosamente sem se preocupar com o pequeno elevador. Em seu rosto havia uma expressão carrancuda de incerteza.

Encontrou o grupo todo reunido na sala de visitas quando Mary Aldin, de pronto, sugeriu que jogassem bridge, o que o sr. Treves recusou polidamente, alegando que em breve deveria deixá-los.

— Meu hotel é antiquado — disse ele. — Eles não esperam que ninguém fique fora depois da meia-noite.

— Ainda falta muito para isso. São apenas dez e meia — observou Nevile. — Espero que não tranquem o senhor do lado de fora.

— Na verdade, acredito que nunca tranquem a porta. Às nove horas ela é fechada, mas basta girar o trinco e entrar. As pessoas aqui são muito displicentes, contudo suponho que tenham motivos para confiar na honestidade do povo local.

— Certamente. Aqui, durante o dia, ninguém tranca a porta — comentou Mary. — A nossa fica aberta o dia todo, entretanto é fechada à noite.

— Que tal é o Hotel Balmoral Court? — perguntou Ted Latimer. — Parece uma estranha monstruosidade vitoriana.

— Faz jus ao nome — observou o sr. Treves —, tendo o bom e sólido conforto vitoriano. Boa cama, boa comida, armários espaçosos e banheiros imensos com móveis de mogno.

— O senhor não comentou que ficara aborrecido com alguma coisa? — perguntou Mary.

— Sim. Tinha cuidadosamente reservado, por carta, dois aposentos no andar térreo. Como sabe, por ter um coração fraco, as escadas estão proibidas para mim. Quando cheguei fiquei irritado ao saber que não estavam disponíveis. Ao contrário, deram-me dois aposentos, muito agradáveis, devo admitir, no andar de cima. Protestei, mas parece que um antigo hóspede que costuma ir à Escócia em setembro ficou doente e não pôde desocupar o quarto.

— A sra. Lucan, suponho? — perguntou Mary.

— Acho que é esse o nome. Nessas circunstâncias, tive que me acomodar da melhor maneira possível; felizmente há um bom elevador. Assim sendo, na verdade, não há nenhum inconveniente.

— Ted, por que você não se muda para o Balmoral Court? Ficaria mais acessível — sugeriu Kay.

— Ah, não creio que se adapte ao meu gosto.

— Tem razão, sr. Latimer — disse o sr. Treves. — Não estaria de acordo com o seu estilo de vida.

Por algum motivo Ted Latimer corou.

— Não entendi o que o senhor quis dizer com isso — afirmou ele.

Mary, percebendo o clima constrangedor, fez rapidamente um comentário sobre um caso que saíra no jornal.

— Li que o homem do caso da mala de Kentish Town foi detido.

— É o segundo homem que prendem — comentou Nevile.

— Espero que dessa vez seja o certo.

— Mesmo que seja, talvez não possam segurá-lo — explicou o sr. Treves.
— Insuficiência de provas? — perguntou Royde.
— Sim.
— Contudo — disse Kay —, suponho que no final sempre se consigam as provas.
— Nem sempre, sra. Strange. A senhora ficaria surpresa se soubesse quantos criminosos andam livres por este país, e sem serem molestados.
— O senhor se refere aos que nunca foram descobertos, não é?
— Não é apenas isso. Há um homem, e cito um famoso caso ocorrido há dois anos, que a polícia sabe que matou aquelas duas crianças (sabem sem a menor sombra de dúvida); entretanto, nada pode fazer. Duas pessoas forneceram álibi, e, embora fosse falso, não havia como prová-lo. Assim, o assassino continua livre até hoje.
— Que coisa horrível! — exclamou Mary.
— Isso vem confirmar o que sempre achei: há ocasiões em que é admissível fazer justiça com as próprias mãos — disse Thomas Royde com sua voz calma e ponderada, esvaziando o cachimbo.
— O que quer dizer, sr. Royde?
Thomas começou a encher o cachimbo. Olhava pensativo para as mãos, enquanto falava aos trancos:
— Suponha que o senhor soubesse de um trabalho sujo, soubesse ainda que o responsável não pode ser acusado perante às leis, e que está imune à punição. Nesse caso, mantendo meu ponto de vista, admito que se faça justiça pelas próprias mãos.
O sr. Treves explicou cordialmente:
— Uma doutrina muito perniciosa, sr. Royde! Tal atitude não se justificaria.
— Não vejo o porquê. Estou falando na hipótese de fatos comprovados.
— Ainda assim, uma atitude pessoal não seria permitida.
Thomas sorriu; um sorriso muito gentil.

— Não concordo — disse ele. — Se o homem merece ter o pescoço torcido, não me incomodaria de tomar o encargo de torcê-lo.

— E, por sua vez, o senhor ficaria sujeito às penalidades da lei.

— Eu teria que ser cuidadoso, é claro... De fato, acho que teria que usar de muita astúcia... — continuou Thomas sorrindo.

Com sua voz clara, Audrey falou:

— Você seria descoberto, Thomas.

— Para falar a verdade, não creio que o fosse.

— Houve um caso, certa vez — começou o sr. Treves, mas parou. Desculpando-se, continuou: — Criminologia é uma espécie de hobby para mim.

— Por favor, continue — disse Kay.

— Tenho uma vasta experiência em casos de crimes. Poucos deles foram realmente interessantes. A maioria dos assassinos é de grande inexpressividade e de pouca visão. Entretanto, poderia contar um caso interessante.

— Ah, conte — pediu Kay. — Adoro assassinatos.

O sr. Treves falava devagar, parecendo escolher as palavras com muito cuidado e ponderação.

— É o caso de uma criança. Não mencionarei nem a idade, nem o sexo. Os fatos foram os seguintes: duas crianças brincavam de arco e flecha. Uma delas atirou a flecha, que, atingindo um ponto vital, causou, assim, a morte da outra. Houve um inquérito, a criança sobrevivente ficou completamente perturbada; o acidente foi lamentado e demonstraram compaixão pelo autor do acontecimento.

Fez-se uma pausa.

— Isso é tudo? — perguntou Ted Latimer.

— Sim, um triste acidente. Mas há o outro lado da história: algum tempo antes do ocorrido, um fazendeiro, passando por acaso por um atalho da floresta, viu quando uma criança praticava arco e flecha, numa pequena clareira.

Fez-se outra pausa para que sentissem o que ele queria dizer.

— Quer dizer — perguntou Mary Aldin incrédula — que não foi um acidente? Foi intencional?

— Não sei — disse o sr. Treves. — Nunca soube. Mas foi declarado, no inquérito, que, por não saberem usar arco e flecha, as crianças atiravam as flechas de uma forma desordenada.

— E não era verdade?

— Em relação a uma daquelas crianças, certamente que não!

— O que fez o fazendeiro? — perguntou Audrey ansiosa.

— Não fez nada. Até hoje não sei se ele agiu certo ou não. Era o futuro de uma criança que estava em jogo. Ele talvez tenha achado que se deveria dar o benefício da dúvida a tal criança.

— Mas o senhor mesmo nunca teve dúvida do que aconteceu? — falou Audrey.

O sr. Treves respondeu sério:

— Pessoalmente, sou da opinião de que foi um crime muito engenhoso... um crime planejado com antecedência em seus mínimos detalhes.

— Havia um motivo? — perguntou Ted.

— Sim, havia um motivo. Implicâncias infantis e palavras más, o bastante para gerar ódio. As crianças odeiam com facilidade...

— Mas houve premeditação de tudo! — chocou-se Mary.

O sr. Treves balançou a cabeça.

— Sim, a premeditação é que foi um mal. Uma criança, guardando uma intenção assassina no coração, praticando escondida dia após dia, e finalmente a consumação do seu plano: a estranha flechada... a catástrofe... a simulação da dor e do desespero. Foi tudo incrível, tão incrível que provavelmente ninguém acreditaria no tribunal.

— E o que aconteceu com a criança? — perguntou Kay curiosa.

— Creio que seu nome foi trocado — explicou o sr. Treves. — Depois da divulgação do inquérito, isso foi considerado conveniente. Aquela criança é, hoje, uma pessoa adulta, em algum lugar deste mundo. A questão é saber se ela ainda tem um coração assassino... Apesar de já ter se passado muito tempo, reconheceria o pequeno assassino em qualquer lugar — acrescentou pensativo.

— Mas isso e impossível — objetou Royde.

— Não é, não. Há certa peculiaridade física... Bem, não vou me estender no assunto. Não é um assunto muito agradável. Agora, tenho que ir embora. — E levantou-se.

— O senhor não aceita uma bebida, antes de ir? — perguntou Mary.

As bebidas estavam numa mesa do outro lado da sala. Thomas Royde, que estava mais perto, aproximou-se e tirou a tampa da garrafa de uísque.

— Uísque com soda, sr. Treves? Latimer, e você?

Nevile disse à ex-esposa em voz baixa:

— Está uma noite linda. Vamos lá fora um pouco?

Audrey estava parada perto da porta, olhando o terraço enluarado. Ele passou por ela e, já do lado de fora, esperava-a. Ela voltou para a sala, balançando a cabeça e muito nervosa.

— Não, estou cansada... Eu... Eu acho que vou dormir.

Atravessou a sala e saiu. Kay bocejou.

— Também estou com sono. E você, Mary?

— Acho que também estou. Boa noite, sr. Treves. Thomas, cuide bem dele.

— Boa noite, srta. Aldin. Boa noite, sra. Strange.

— Iremos almoçar com você amanhã, Ted — disse Kay. — Poderemos tomar banho de mar, se o tempo ainda estiver bom.

— Certo. Estarei esperando por você. Boa noite, srta. Aldin.

As duas mulheres deixaram a sala.

Ted Latimer disse com amabilidade para o sr. Treves:

— Vamos pelo mesmo caminho. Como vou pegar a barca, tenho que passar pelo seu hotel.

— Obrigado, sr. Latimer. Ficarei satisfeito com a sua companhia.

Apesar de ter declarado sua intenção de partir, o sr. Treves não parecia estar com pressa. Saboreava sua bebida com prazer e calma, e entregava-se à tarefa de extrair de Thomas Royde informações sobre as condições de vida na Malásia.

Royde era monossilábico em suas respostas. Os mais simples detalhes da vida do dia a dia pareciam segredos de Estado, pela dificuldade com que eram arrancados. Ele parecia estar perdido em algum pensamento, do qual não era fácil sair para responder a seu interlocutor.

Ted Latimer estava inquieto. Parecia impaciente, entediado e ansioso para ir embora. De repente, interrompendo a conversa, exclamou:

— Ia quase me esquecendo! Trouxe os discos que Kay queria. Vou pegá-los lá no saguão. Você fala com ela amanhã, Royde?

O outro concordou com a cabeça. Ted deixou a sala.

— Aquele jovem tem uma natureza inquieta — murmurou o sr. Treves.

Royde resmungou alguma coisa, sem responder.

— É amigo da sra. Strange, não é? — prosseguiu o velho advogado.

— De Kay Strange — disse Thomas.

O sr. Treves sorriu.

— Sim. Foi o que quis dizer. Dificilmente seria amigo da... primeira mulher de Nevile.

— Dificilmente — enfatizou Royde. Em seguida, notando o olhar zombeteiro do outro, falou corando um pouco: — O que quis dizer é que...

— Ah, compreendi muito bem o que quis dizer, sr. Royde. O senhor é amigo da sra. Audrey Strange, não é?

Thomas Royde enchia, vagarosamente, o cachimbo de tabaco. Seus olhos se abaixaram ao ouvir a pergunta. Concordou, ou melhor, murmurou:

— S... Sim. Mais ou menos. Fomos criados juntos.

— Ela deve ter sido uma moça muito bonita.

Thomas Royde murmurou alguma coisa parecida com "hum, hum".

— É esquisito ter duas senhoras Strange na mesma casa.

— Sim... Sim, bastante!

— Uma situação difícil para o sr. Strange.

— Extremamente difícil. — Thomas corou.

O sr. Treves se inclinou. Sua pergunta saiu num rompante:

— Por que ela veio, sr. Royde?

— Bem... acho que... — sua voz estava confusa — ela... não tinha como recusar.

— Recusar a quem?

Royde mexeu-se desajeitadamente.

— Bem, na verdade, creio que ela sempre vem nessa época do ano, no começo de setembro.

— E Lady Tressilian convidou Nevile e sua nova esposa para virem na mesma época? — Na voz do velho senhor havia uma nota de incredulidade.

— Quanto a isso, creio que foi o próprio Nevile quem se convidou.

— Então ele estava ansioso por esse... encontro.

— Creio que sim — respondeu Royde, evitando encará-lo, visivelmente desconfortável.

— É estranho! — disse o sr. Treves.

— Uma ideia idiota! — exclamou Thomas, vendo-se obrigado a dizer algo.

— Um tanto embaraçoso, eu diria — retrucou o sr. Treves.

— Ah, é. Porém, hoje em dia há pessoas que agem dessa maneira.

— Fico pensando — comentou o sr. Treves —, se não teria sido ideia de outra pessoa.

— De quem mais poderia ser? — encarou-o Royde.

O sr. Treves suspirou.

— Há no mundo tantos amigos bem-intencionados, sempre ansiosos para resolver os problemas alheios, nem sempre sugerindo o melhor.

Parou de falar assim que Nevile entrou pela porta do terraço. Nesse exato momento, Ted Latimer entrava pela porta que dava para o saguão.

— Olá, Ted, o que você tem aí? — perguntou Nevile.

— São os discos que Kay pediu para eu trazer.

— Ah, pediu? Ela não me contou nada.

Houve um rápido instante de constrangimento entre os dois. No entanto, Nevile se dirigiu à bandeja com as bebidas e se serviu de uísque com soda. Parecia nervoso e infeliz, e respirava ofegante.

O sr. Treves já ouvira alguém se referir a Nevile como "aquele sujeito sortudo, o Strange, tem tudo que alguém poderia desejar neste mundo". Entretanto, naquele momento, não parecia nada feliz.

Thomas, com a volta de Nevile, pareceu achar que suas obrigações como anfitrião haviam terminado. Saiu da sala sem mesmo se despedir. Seu andar estava mais ligeiro que o habitual. Era quase uma fuga.

— Foi uma noite muito agradável — afirmou o sr. Treves gentilmente ao pousar o copo. — Muito... ah... instrutiva.

— Instrutiva? — Nevile ergueu ligeiramente as sobrancelhas.

— Informações sobre a Malásia — lembrou Ted, sorrindo.
— Tive um trabalho enorme para arrancar respostas do taciturno Thomas.

— É um sujeito singular, aquele Royde — enfatizou Nevile.
— Creio que foi sempre assim. Fumando aquele seu velho e horrível cachimbo, ocasionalmente dizendo "hum!" e "ah!" durante as conversas, e parecendo inteligente como uma coruja.

— É bem possível que ele esteja pensando na maior parte do tempo — disse o sr. Treves. — E agora preciso mesmo me retirar.

— Não deixe de visitar Lady Tressilian novamente — pediu Nevile ao acompanhar os dois homens ao saguão. — O senhor a anima muito. Atualmente tem pouquíssimo contato com o mundo lá fora. Ela é maravilhosa, não é?

— Sim, realmente. E tem uma conversa muito estimulante.

O sr. Treves vestiu cuidadosamente o casaco e o cachecol, e depois de renovadas despedidas partiu acompanhado por Ted Latimer.

O Balmoral Court ficava apenas a pouco mais de cem metros de distância, na curva da estrada. Erguia-se majestoso e misterioso, completamente à parte da cidade.

A barca para onde Ted ia ficava a cerca de duzentos ou trezentos metros adiante, no local onde o rio era mais estreito.

O sr. Treves parou à porta do Balmoral Court e estendeu a mão.

— Boa noite, sr. Latimer. Vai ficar aqui por muito tempo?

— Isso depende, sr. Treves. Ainda não tive tempo de me sentir entediado. — Ted sorriu, mostrando dentes muito brancos.

— Estou certo disso! Imagino que, como a maioria dos jovens de hoje, o que você mais receia é o tédio. Entretanto, posso lhe assegurar que existem coisas muito piores.

— Como o quê, por exemplo?

A voz de Ted Latimer era suave e agradável, mas havia nela um significado oculto, algo difícil de definir.

— Ah! Deixo para a sua imaginação, sr. Latimer. Saiba que eu jamais teria a pretensão de lhe dar conselhos. Conselhos de pessoas antiquadas são sempre tratados com desdém. E talvez tenham razão, quem sabe? Todavia, sujeitos velhos como eu gostam de pensar que a experiência nos ensinou algo, pelo muito que observaram durante a vida inteira.

Uma nuvem cobriu a lua; o caminho estava muito escuro. Saindo da escuridão, subindo o monte, a figura de um homem vinha na direção deles.

Era Thomas Royde.

— Fui até as barcas para caminhar um pouco — comentou ele indistintamente, porque tinha o cachimbo preso entre os dentes.

— Esta é a sua taberna? — perguntou ao sr. Treves. — Parece que o senhor ficou trancado do lado de fora.

— Não creio.

Virou a grande maçaneta de metal, e a porta se abriu.

— Levaremos o senhor lá dentro — sugeriu Royde.

Os três entraram no saguão, que estava pouco iluminado, com apenas uma lâmpada elétrica. Não havia ninguém. O odor do jantar e do veludo um tanto empoeirado do verniz da mobília entraram em suas narinas.

De repente o sr. Treves soltou uma exclamação de aborrecimento. À sua frente, na porta do elevador, havia um aviso: "PARADO".

— Meu Deus, que chateação! Terei que subir as escadas.

— Que azar — opinou Royde. — Não tem um elevador de serviço para bagagens e tudo o mais?

— Receio que não. Este é usado para todos os propósitos. Bem, só terei que subir devagar, isso é tudo. Boa noite.

Começou a subir vagarosamente as largas escadas. Royde e Latimer se despediram, saindo para a rua escura. Por um momento ficaram calados, quando Royde abruptamente disse:

— Bem, boa noite.

— Boa noite. Vejo-o amanhã.

— Sim.

Ted Latimer desceu o morro a passos largos, em direção à barca. Thomas ficou parado por uns minutos observando-o. Em seguida, caminhou vagarosamente na direção oposta, se dirigindo para Gull's Point.

A lua saiu de trás da nuvem, e Saltcreek ficou novamente banhada de uma radiosa luz prateada.

VII

— Parece até um dia de verão — murmurou Mary Aldin.

Ela e Audrey estavam sentadas na praia do imponente prédio do Hotel Easterhead Bay. Audrey usava uma roupa de banho branca e parecia uma delicada estatueta de marfim. Mary não tomara banho de mar. Logo adiante, Kay estava deitada de bruços, com seu corpo bronzeado exposto ao sol.

— Uh! — disse ela sentando. — A água está terrivelmente fria.

— Bem, estamos em setembro — lembrou Mary.

— Faz sempre frio na Inglaterra — resmungou Kay descontente. — Como gostaria de estar no sul da França. Lá, sim, faz calor.

— Esse sol não é sol de verdade — murmurou Ted Latimer.

— Não vai entrar na água, sr. Latimer? — perguntou Mary.

Kay riu:

— Ted nunca entra na água. Fica apenas tomando sol, feito um lagarto.

Esticando um dos pés, ela o cutucou. Ele levantou-se num pulo.

— Vamos andar um pouco, Kay. Estou com frio.

Saíram andando pela praia.

— Lagarto? Uma comparação infeliz — murmurou Mary Aldin, acompanhando-os com o olhar.

— É isso o que você pensa dele? — perguntou Audrey.

Mary Aldin franziu as sobrancelhas.

— Não. Um lagarto sugere alguma coisa domesticável, porém não creio que ele seja manso.

— Não — disse Audrey pensativa. — Eu também não acho.

— Formam um lindo par — comentou Mary, enquanto olhava os dois se afastarem. — Parecem combinar, não é?

— Acho que sim.

— Gostam das mesmas coisas — continuou Mary. — Têm as mesmas opiniões e falam a mesma língua. Que pena que...

Ela parou.

— Que o quê? — indagou Audrey abruptamente.

— Acho que ia dizer que foi uma pena ela e Nevile terem se conhecido.

Audrey ficou rígida. O que Mary chamava de "expressão gélida de Audrey" imediatamente surgiu em seu rosto. Mary desculpou-se depressa:

— Sinto muito, Audrey. Eu não devia ter dito isso.

— Se não se importa, eu preferiria não falar nesse assunto.

— É claro. Foi estupidez minha. Eu... Eu esperava que você já tivesse superado tudo.

Audrey virou a cabeça devagar, e com o rosto calmo e inexpressivo, afirmou:

— Posso lhe assegurar que não há nada a superar. Eu... Eu não tenho nenhum sentimento a esse respeito. Desejo... Desejo de todo o coração que Kay e Nevile sejam muito felizes juntos.

— Bem, é muita bondade de sua parte, Audrey.

— Não é bondade. É... apenas a verdade. E acho perda de tempo relembrar o passado: "É pena que isso aconteceu." Agora tudo já passou. Por que ficar remoendo? Temos que viver o presente.

— Acho — comentou Mary — pessoas como Kay e Ted tão excitantes porque... bem, são tão diferentes de tudo que já conheci.

— Sim, suponho que sejam.

— Até você — lembrou Mary com repentina amargura — viveu e teve experiências as quais eu, provavelmente, nunca terei. Sei que você tem sido infeliz, muito infeliz. Todavia, não posso deixar de pensar que mesmo todos esses fatos são melhores do que nada... o vazio! — pronunciou a última palavra com raiva.

Audrey olhou-a, um pouco assustada.

— Nunca imaginei que você se sentisse assim.

— Nunca? — Mary Aldin riu, se desculpando. — Ah! Foi só um acesso de descontentamento, minha querida. Não estava falando sério.

— Não deve ser muito divertido para você — continuou Audrey — morar aqui com Camilla, apesar de ela ser maravilhosa... ler para ela... cuidar dos criados... e nunca ter viajado.

— Estou bem alimentada e abrigada — ressaltou Mary. — Milhares de mulheres nem isso têm. E na verdade, Audrey, estou bem satisfeita. Tenho... — um pequeno sorriso apareceu em seus lábios — minhas distrações secretas.

— Vícios secretos? — perguntou Audrey, também sorrindo.

— Ah! Eu planejo coisas — confessou Mary vagamente. — Na minha mente, é lógico. Algumas vezes, gosto de fazer experiências com as pessoas, só para ver se posso fazê-las reagir da maneira que pretendo, ao que digo.

— Você parece quase sádica, Mary. Como eu a conheço pouco!

— Ah, é tudo inofensivo. Só uma brincadeira infantil.

— Você fez a experiência comigo? — perguntou Audrey curiosa.

— Não. Você é a única pessoa que sempre achei imprevisível. Nunca sei o que está pensando.

— Talvez — disse Audrey gravemente — eu sinta o mesmo em relação a você.

Estremeceu, e Mary exclamou:

— Você está com frio.

— Sim. Acho que vou me vestir. Afinal de contas, é setembro!

Mary Aldin ficou sozinha, olhando o reflexo na água. O nível da água estava baixando. Estirou-se na areia, fechando os olhos.

Todos haviam almoçado bem no hotel, que ainda estava repleto de pessoas dos mais variados tipos, apesar da temporada já ter terminado. Ah, bem, tinha sido um passeio! Algo para quebrar a monotonia do dia a dia. E, também, um alívio sair daquele clima de tensão, daquele ambiente sobressaltado que existia ultimamente em Gull's Point. Não tinha sido culpa de Audrey, mas Nevile...

Seus pensamentos foram interrompidos repentinamente, quando Ted Latimer sentou-se furioso a seu lado.

— O que houve com Kay? — perguntou Mary.

— Sua presença foi exigida pelo seu proprietário.

Alguma coisa, em seu tom de voz, impressionou Mary. Ela olhou para a faixa de areia dourada, por onde Nevile e Kay caminhavam. Em seguida, olhou também para o homem que estava ao seu lado.

Já havia pensado nele como uma pessoa aproveitadora, esquisita e até mesmo perigosa. E agora, pela primeira vez, estava tendo a visão de um jovem ferido. Ela pensou: "Ele amava Kay, amava realmente, e então Nevile chegou e a levou consigo..."

— Espero que esteja se divertindo aqui — disse ela amavelmente.

Eram palavras convencionais. Mary raramente usava palavras que não fossem as convencionais: era o seu modo de falar. Mas, pela primeira vez, seu tom era o de uma oferta de amizade. Ted Latimer respondeu:

— Tanto quanto em qualquer outro lugar.

— Sinto muito.

— Sente coisa nenhuma! Sou um estranho. E qual é a importância sobre o que um estranho sente ou pensa?

Ela voltou-se para poder olhar aquele jovem amargo e bonito, que, no entanto, retribuiu com um olhar desafiador.

Ela falou devagar, como alguém que faz uma descoberta:

— Entendo. Você não gosta de nós.

— Esperava que eu gostasse? — perguntou rindo.

— Sim, supus que sim. É claro que tomamos muita coisa como certa. Deveríamos ser mais humildes. Na verdade, nunca me ocorreu que você, porventura, pudesse não gostar de nós. Procuramos tratá-lo como um amigo de Kay.

— Sim... como amigo de Kay!

Fez o comentário com profundo rancor.

— Gostaria que dissesse, de verdade, por que não lhe agradamos. O que lhe fizemos? O que há de errado conosco? — perguntou Mary, com uma sinceridade desconcertante.

— São todos afetados! — exclamou Ted Latimer, colocando toda a sua rudeza nessa palavra.

— Afetados? — perguntou Mary sem raiva, examinando a acusação. — Sim — admitiu ela. — Acredito que possamos dar essa impressão.

— Vocês são assim! Tomam todas as boas coisas da vida como um direito. São felizes e superiores em seu pequeno mundo, isolado e fechado para as pessoas comuns. Gente que nem eu é considerada como um animal estranho!

— Sinto muito — desculpou-se Mary.

— Mas é a verdade, não é?

— Não, não é bem assim. Talvez sejamos pessoas tolas e sem imaginação, mas não somos mal-intencionadas. Eu mesma sou convencional, superficial e diria que até um tanto afetada. Contudo, sou bastante humana. Nesse momento, sinto muito que você esteja infeliz e gostaria até de poder fazer algo.

— Bem, se é assim, é muito gentil de sua parte.

Houve uma pausa, para que, em seguida, Mary perguntasse afetuosamente:

— Você sempre esteve apaixonado por Kay?

— Sim, sempre.

— E ela?

— Pensei que sim. Até o dia em que Nevile apareceu.

— E você ainda está apaixonado por ela? — perguntou com delicadeza.

— Acho que isso está evidente, não está?

— Não seria melhor para você ir embora daqui? — perguntou ela, amável.

— Por que seria?

— Porque você está se expondo a maiores tristezas.

Ele a olhou e riu.

— Você é uma boa pessoa, mas pouco sabe a respeito dos animais que podem rondar seu pequeno mundo fechado. Num futuro bem próximo, muitas coisas podem acontecer.

— Que tipo de coisas? — perguntou Mary ansiosa.

— Espere e verá — disse ele e riu.

VIII

Depois que Audrey trocou de roupa, andando pela praia, foi se encontrar com Thomas Royde. Sentado, fumava seu cachimbo, olhando para o outro lado do rio onde ficava Gull's Point, com toda sua brancura e serenidade.

Thomas apenas virou a cabeça com a chegada de Audrey. Ela sentou ao seu lado sem nada falar. Permaneceram calados, tornando o silêncio agradável, como o de duas pessoas que se conhecem muito bem.

— Parece tão perto! — exclamou finalmente Audrey, quebrando o silêncio.

Thomas olhou para Gull's Point.

— Poderíamos nadar até lá.

— Não com essa maré. Camilla tinha uma criada que gostava de nadar, e que costumava ir e voltar, sempre que a maré permitia. O problema é que, quando há correnteza, você pode ser puxado para o fundo do rio. Certo dia, foi isso o que aconteceu com ela. A sorte é que se salvou, conseguindo chegar em Easter Point apenas muito exausta.

— Não há nada avisando que é perigoso.

— Mas não é, não desse lado. A correnteza fica no lado oposto, em frente aos penhascos. No ano passado houve uma tentativa de suicídio: um homem se jogou do Stark Head, ficando preso numa árvore no meio do penhasco, mas os guardas conseguiram salvá-lo.

— Pobre coitado! — exclamou Thomas. — Aposto que não ficou agradecido. Deve ser revoltante ser salvo após a difícil decisão de se suicidar. Deve fazer com que o sujeito se sinta um tolo.

— Talvez agora ele esteja agradecido — sugeriu Audrey sonhadora.

— Duvido!

Thomas pitou seu cachimbo. Para olhar Audrey, bastava virar ligeiramente a cabeça. Notou que seu rosto estava sério e absorto enquanto ela olhava a água. Seus longos cílios escuros, a linha pura do rosto, a pequena orelha... Isso o fez lembrar de alguma coisa.

— Ah, encontrei o seu brinco, aquele que você perdeu ontem à noite.

Ele procurou-o no bolso, ao mesmo tempo em que Audrey estendia a mão.

— Que bom! Onde o achou? No terraço?

— Não. Estava perto da escada. Você deve tê-lo perdido ao descer para jantar. Notei que no jantar você estava sem ele.

— Estou contente que o tenha encontrado.

Enquanto apanhava o brinco, Thomas observava como era grande e pesado para uma orelha tão pequena. Os que ela usava agora também eram grandes.

— Reparei que você usa brincos mesmo quando vem à praia. Não tem medo de perdê-los? — comentou ele.

— Não são de valor. Detesto ficar sem eles por causa disso, lembra?

Quando ela segurou a orelha esquerda, Thomas se lembrou.

— Sim. Aquela vez em que o velho Bouncer a atacou.

Audrey concordou com a cabeça.

Ficaram em silêncio, recordando um acontecimento da infância. Audrey Standish (como se chamava naquela época), uma criança de pernas compridas, cuidava da pata do velho Bouncer, quando ele lhe dera uma mordida traiçoeira. Ela levara alguns pontos na orelha, o que atualmente era quase que imperceptível, apenas uma pequena cicatriz.

— Minha querida — disse ele —, mal se vê a marca. Por que você se importa tanto?

Audrey fez uma pausa antes de responder com evidente sinceridade:

— É porque... porque simplesmente não suporto um defeito.

Thomas balançou a cabeça. Aquilo combinava com a ideia que tinha sobre Audrey e seu instinto de perfeição. E, na realidade, ela própria era perfeita.

— Você é muito mais bonita que Kay — afirmou ele de repente.

— Ah, não, Thomas! Kay... Kay é realmente linda — respondeu Audrey sem demora.

— Apenas por fora.

— Você está se referindo à minha bela alma? — perguntou Audrey ligeiramente divertida.

Thomas jogou fora as cinzas do cachimbo.

— Não — ressaltou ele. — Acho que falava de seus ossos.

Audrey riu.

Thomas encheu novamente o cachimbo. Durante uns cinco minutos permaneceram calados. Olhou-a mais uma vez, porém de uma forma tão discreta que ela nem percebeu.

Finalmente, falou com muita calma:

— O que há de errado com você, Audrey?

— Errado? O que quer dizer com isso?

— Que há algo errado com você.

— Não há nada errado. Nada mesmo.

— Há alguma coisa, sim.

Ela balançou a cabeça.

— Não vai me contar?

— Não há nada para contar.

— Creio que estou sendo insistente, mas eu tenho que lhe dizer... — E fez uma pausa. — Audrey, será que não pode esquecer? Tirar tudo de sua cabeça?

Nervosamente, ela fincou as pequenas mãos na pedra.

— Você não compreende... não pode compreender.

— Mas, Audrey, minha querida, eu compreendo. É isto o que quero lhe dizer. Eu sei de tudo.

Ela o olhou com o rosto pequeno cheio de dúvida.

— Sei exatamente tudo o que aconteceu. E... E o que deve ter significado para você.

Ela ficou pálida, muito pálida.

— Entendo — disse ela —; no entanto, não pensei que alguém soubesse...

— Bem, eu sei. Não vou mais tocar no assunto, porém gostaria que você se convencesse de que tudo já passou, que acabou para sempre!

— Certas coisas nunca passam — afirmou ela com a voz baixa.

— Olhe aqui, Audrey, de nada adianta ficar pensando e se atormentando. Você já sofreu demais. Não é saudável ficar remoendo um pensamento. Olhe para frente, e nunca para trás. Você ainda é bastante jovem. Tem a maior parte de sua vida para viver. Pense no futuro, e não no passado.

Ela o olhou com os olhos muito abertos, tranquilos, ocultando seus verdadeiros pensamentos.

— E se eu não puder fazer isso? — perguntou Audrey.

— Mas é preciso!

— Pensei que você não compreendesse... Acho... Acho que não sou muito normal em... certas coisas.

Ele a interrompeu bruscamente:

— Tolice. Você...

— Eu o quê?

— Estava pensando em como você era quando menina, antes de se casar com Nevile. Por que se casou com ele?

Audrey sorriu.

— Porque me apaixonei.

— Sim. Sim, eu sei. Mas por que se apaixonou por ele? O que a atraiu tanto?

Franziu os olhos, tentando ver como se fosse a garota que já não existia.

— Acho que foi porque ele era tão positivo — ela observou. — Era o meu oposto. Sempre me senti como uma sombra, meio como se não existisse. Nevile tinha muita vida. Era tão feliz e seguro de si mesmo, e tão... tudo o que eu não era. Também era muito atraente — acrescentou com um sorriso.

Thomas comentou com amargura:

— Sim, o homem ideal: bom nos esportes, sóbrio, atraente, sempre como um perfeito cavalheiro conseguindo tudo o que quer.

Audrey ajeitou-se encarando-o.

— Você o detesta — falou vagarosamente. — Você o detesta muito, não é?

Ele evitou olhá-la, virando o rosto para acender o cachimbo que se apagara.

— Não seria nada surpreendente, seria? — falou baixinho. — Ele tem tudo o que eu não tenho. Pratica esporte, dança, natação, sabe conversar. E eu sou desajeitado, calado e com um braço aleijado. Ele sempre foi um homem brilhante e bem-sucedido, enquanto eu sempre fui um indivíduo bronco. E além do mais, se casou com a única garota de quem já gostei.

Ela soltou um som fraco. Thomas continuou cheio de ódio:

— Você sempre soube, não é? Sabia que, desde que você tinha 15 anos, eu a amava. Sabe que ainda gosto...

Ela o interrompeu:

— Não. Atualmente não.

— O que quer dizer com... atualmente não?

Audrey levantou-se. Com a voz calma e ponderada, explicou:

— Porque agora... não sou mais a mesma.

— Não é mais a mesma como?

Ele ficou de pé, encarando-a. Audrey, com a voz muito exaltada, falou apressada:

— Se você não sabe, não posso lhe dizer... Eu mesma não tenho certeza. Só sei que...

Calou-se. E, virando-se bruscamente, correu pelas pedras na direção do hotel.

No caminho, encontrou Nevile deitado, olhando atentamente para uma poça d'água. Ele levantou a cabeça e sorriu.

— Olá, Audrey!
— Olá, Nevile!
— Estou observando um caranguejo. O pobre coitado é terrivelmente ativo. Olhe, aqui está ele.

Ela se ajoelhou e olhou para onde ele apontava.

— Está vendo?
— Sim.
— Quer um cigarro?

Ele acendeu o cigarro que ela aceitara. Audrey permaneceu sem olhá-lo, e após algum tempo ele falou nervosamente:

— Escute, Audrey.
— Sim. O que é?
— Está tudo bem, não está? Entre nós dois?
— Sim. Claro que está.
— Somos amigos, não somos?
— Sim, é claro que sim.
— Eu quero... que sejamos amigos.

Ele a olhou ansioso. Audrey sorriu, tensa.

— Foi um dia agradável, não foi? Bom tempo e tudo o mais — comentou ele.

— Ah, sim... Foi.
— Está bastante quente para setembro, não acha?
— Sim. Demais.

Ficaram calados.

— Audrey...

Ela se levantou.

— Sua esposa está acenando para cá.

— Quem? Kay?

— Eu disse *sua esposa*.

Nevile levantou-se e, olhando-a fixamente, falou em voz muito baixa:

— A minha esposa é você, Audrey...

Ela se virou e foi embora. Nevile correu pela areia ao encontro de Kay.

IX

Ao chegarem de volta a Gull's Point, Hurstall dirigiu-se a Mary:

— A senhorita poderia subir para ver Lady Tressilian? Ela está muito perturbada e gostaria de vê-la assim que chegasse.

Mary subiu imediatamente, encontrando-a pálida e trêmula.

— Querida Mary, ainda bem que chegou! Estou tão angustiada! O sr. Treves está morto.

— Morto?

— Sim. Não é terrível? Foi tão repentino. Parece que nem chegou a trocar de roupa... Deve ter tido um colapso assim que chegou ao hotel.

— Oh, sinto, muito!

— Sabíamos, é claro, que sua saúde estava abalada e que seu coração estava fraco. Espero que, aqui, nada tenha acontecido que pudesse lhe causar uma tensão excessiva. Teve algum prato indigesto no jantar?

— Creio que não. Aliás, estou certa de que não. Parecia bem disposto e animado.

— Estou realmente desolada. Gostaria que fosse ao Balmoral Court e pedisse mais informações à sra. Rogers. Pergunte-lhe se não há nada que possamos fazer. Por causa de Matthew, gostaria de fazer alguma coisa quanto ao funeral. Num hotel é tão desagradável.

— Camilla, querida, tente não se preocupar. Eu sei que foi um choque muito grande para a senhora — advertiu Mary.

— Sim. Realmente foi.

— Irei ao Balmoral Court agora mesmo, e lhe trarei notícias.

— Obrigada, Mary querida. Você é sempre tão prática e compreensiva.

— Agora procure descansar. Um choque desse tipo não é bom para a senhora.

Mary Aldin saiu do quarto, desceu as escadas e, ao entrar na sala de visitas, exclamou:

— O velho sr. Treves está morto! Morreu ontem à noite, no hotel.

— Coitado! — exclamou Nevile. Como aconteceu?

— Foi o coração. Teve um colapso assim que chegou.

— Será que a escada o matou? — disse Thomas Royde pensativo.

— Escada? — Mary olhou-o sem compreender.

— Sim. Quando Latimer e eu o deixamos, ele estava se encaminhando para as escadas. Recomendamos que subisse devagar.

— Mas que estupidez não tomar o elevador! — exclamou Mary.

— Estava quebrado.

— Ah, entendo. Que falta de sorte! Pobre velho. Agora, vou até o hotel, pois Camilla quer saber se podemos fazer alguma coisa.

— Irei com você — disse Thomas.

Caminhando juntos até o Balmoral Court, Mary comentou:

— Será que ele tem algum parente que deva ser notificado?

— Ele não falou de ninguém.

— É, e normalmente as pessoas costumam mencionar. Dizem "minha sobrinha" ou "meu primo".
— Ele era casado?
— Creio que não.

Entraram no Balmoral Court. A sra. Rogers, a proprietária, estava falando com um homem alto de meia-idade, que cumprimentou Mary cordialmente.

— Boa tarde, srta. Aldin.
— Boa tarde, dr. Lazenby. Este é o sr. Royde. Viemos trazer um recado: Lady Tressilian se oferece para ajudar no que for preciso.
— É muita gentileza de sua parte, srta. Aldin — comentou a proprietária do hotel. — Venha para a sala, por favor.

Todos entraram na pequena e confortável sala, quando o dr. Lazenby perguntou:

— O sr. Treves jantou ontem em sua casa, não foi?
— Sim.
— E como estava ele? Mostrava algum sinal de esgotamento?
— Não. Parecia bem-disposto e alegre.

O médico balançou a cabeça.

— Isso é o pior de tudo nessas doenças cardíacas. A morte vem quase sempre repentinamente. Li sua prescrição médica, e ficou bem evidente que se encontrava em precário estado de saúde. É claro que me comunicarei com seu médico em Londres.

— Ele sempre se cuidava muito — afirmou a sra. Rogers. — E posso lhe assegurar que aqui o tratávamos da melhor maneira possível.

— Estou certo disto, sra. Rogers — afirmou o médico com delicadeza. — Não há dúvida de que sua morte foi causada apenas por algum pequeno esforço além do que devia ter feito.

— Como subir escadas — sugeriu Mary.

— Sim, isso talvez fosse o suficiente. Na verdade, é quase certo que seria, isto é, se por ventura ele subisse os três lances da escada. Entretanto, não creio que o tenha feito.

— Nunca — espantou-se a sra. Rogers. — Ele sempre usava o elevador. Era muito cauteloso.

— Quero dizer que... estando o elevador quebrado ontem à noite... — disse Mary.

A sra. Rogers olhou-a surpresa.

— Mas ontem o elevador não estava quebrado, srta. Aldin.

Thomas Royde tossiu.

— Desculpe-me — interrompeu ele —, mas ontem à noite acompanhei o sr. Treves até aqui, e havia um aviso no elevador escrito "PARADO".

A sra. Rogers olhou-o atônita.

— Bem, isso é muito estranho! Afirmei que nada havia de errado com o elevador, e estou certa disso; caso contrário eu teria sabido. Não temos problemas com o elevador — e bateu na madeira — há mais de oito meses. Pode acreditar!

— Talvez — sugeriu o médico — algum porteiro ou cabineiro tenha colocado o aviso, enquanto estava de folga.

— É um elevador automático. Não precisa de ninguém para manejá-lo.

— Sim, é mesmo! Já estava me esquecendo.

— Falarei com Joe — disse a sra. Rogers. Saiu apressada da sala chamando-o: — Joe, Joe.

O dr. Lazenby olhou curioso para Thomas.

— Perdoe-me, o senhor tem certeza, senhor... er...

— Royde — interveio Mary.

— Absoluta! — assegurou Thomas.

A sra. Rogers voltou acompanhada do porteiro. Joe foi enérgico ao declarar que, na noite anterior, nada havia de errado com o elevador. O tal aviso realmente existia, mas estava guardado na escrivaninha e não era usado há mais de um ano.

Todos se entreolharam e concordaram que era tudo muito misterioso. O médico sugeriu a hipótese de ter sido uma peça pregada por algum hóspede do hotel.

Em resposta às perguntas de Mary, o dr. Lazenby explicou que o motorista do sr. Treves havia fornecido o endereço do seu advogado, com quem ele iria se comunicar imediatamente, procurando Lady Tressilian para dizer-lhe como seria o funeral, logo em seguida.

Com pressa, o ativo e alegre médico despediu-se. Mary e Thomas voltaram lentamente a Gull's Point.

— Você tem certeza de que viu aquele aviso, Thomas? — perguntou Mary.

— Tanto eu quanto Latimer o vimos.

— Que coisa mais estranha! — exclamou Mary.

X

Era 12 de setembro.

— Faltam apenas mais dois dias — disse Mary Aldin, e mordeu o lábio, enrubescendo.

Thomas olhou-a pensativo.

— É assim que se sente a esse respeito?

— Não sei o que está acontecendo comigo — explicou ela. — Em toda a minha vida, nunca fiquei tão ansiosa para que uma visita terminasse logo. Normalmente gostamos muito de receber Nevile aqui. E também a Audrey.

Thomas balançou a cabeça.

— Mas dessa vez — prosseguiu Mary — sinto-me como se estivesse sentada em dinamite, algo que poderá explodir a qualquer momento. Por isso, a primeira coisa em que pensei esta manhã é que faltam apenas mais dois dias. Audrey irá embora na quarta-feira, e Nevile e Kay na quinta.

— E eu irei na sexta-feira — disse Thomas.

— Ora, não o estou incluindo nisso. Você tem sido um forte apoio para mim. Não sei o que teria feito sem você.

— Uma espécie de para-choque humano?

— Muito mais do que isso. Você tem sido tão paciente e tão... tão amável. Sei que estou parecendo ridícula, contudo é realmente isso que quero dizer.

Thomas parecia satisfeito, apesar de ligeiramente embaraçado.

— Não sei por que temos estado tão sobressaltados — comentou Mary pensativa. — Afinal de contas, se houvesse uma... uma explosão de sentimentos, seria desagradável e constrangedor. No entanto, nada mais além disso.

— Mas creio que você sente que ainda há alguma coisa por trás disso tudo!

— Sim, uma sensação de apreensão. E até os empregados sentem. Esta manhã, a copeira irrompeu em lágrimas e pediu demissão sem nenhum motivo. A cozinheira anda irritada, Hurstall estava tremendamente agitado, e até Barrett, que habitualmente é calma e segura, tem mostrado sinais de nervosismo. E tudo porque Nevile teve a ridícula ideia de querer que suas duas esposas se tornassem amigas, para poder assim aliviar a sua consciência.

— O que foi um fracasso completo — concluiu Thomas.

— Sim, realmente. Kay está começando a perder o controle. E eu não posso deixar de sentir pena dela. Você notou a maneira como Nevile olhou para Audrey enquanto ela subia as escadas ontem à noite? Ele ainda gosta dela, Thomas. Foi tudo um terrível engano.

Thomas começou a encher o cachimbo.

— Ele deveria ter pensado nisso antes.

— Eu sei que isso seria o certo, embora não altere o fato de que tudo continue sendo uma tragédia. Sinto pena de Nevile.

— Pessoas como Nevile... — Thomas começou a falar.

— Sim?

— Pessoas como Nevile acham que podem ter tudo o que querem. Acho que, até se deparar com esse problema com Audrey, nunca tivera uma contrariedade na vida. Bem, agora ele levou a pior, não podendo ficar com Audrey. Ela está fora de seu alcance, e nada vai adiantar agir dessa forma absurda. Terá que suportar a derrota!

— Imagino que você tenha razão, entretanto acho que está sendo muito severo. Audrey estava apaixonada por Nevile quando se casaram, e sempre se deram muito bem.

— Mas atualmente ela não o ama.

— Duvido muito — murmurou Mary, baixinho.

Thomas prosseguiu:

— E lhe digo mais: é melhor Nevile tomar cuidado com Kay, pois é do tipo de moça perigosa, realmente muito perigosa. Se perder a calma, nada a deterá.

— Meu Deus! — Mary suspirou repetindo sua observação inicial. — Bem, faltam apenas mais dois dias.

Os últimos dias tinham sido difíceis. A morte do sr. Treves causara um choque prejudicial à saúde de Lady Tressilian. O funeral, que acontecera em Londres, agradou Mary, pois faria Lady Tressilian esquecer mais depressa. Os empregados haviam estado nervosos e difíceis, e esta manhã Mary sentia-se cansada e deprimida.

— Em parte é culpa do tempo — disse Mary em voz alta. — Não está muito normal.

Realmente, para o mês de setembro, estava um calor fora do comum. Em certos dias, o termômetro chegara a marcar quarenta graus à sombra.

Nevile aproximou-se no momento em que Mary falava.

— Culpando o tempo? — perguntou ele olhando o céu. — É mesmo incrível. Hoje está mais quente que nunca, e não há vento. Deixa qualquer um nervoso, contudo creio que vai chover a qualquer momento, uma vez que está quente demais.

Thomas Royde, que se afastara com o seu andar calmo e incerto, desapareceu por trás da casa.

— A retirada do melancólico Thomas! — comentou Nevile.
— Não se pode dizer que lhe agrade a minha companhia.
— Ele é um amor de pessoa — disse ela.
— Eu discordo. É o tipo de sujeito tacanho e cheio de preconceitos.
— Você acha isso porque sabe que ele desejou casar-se com Audrey, até que você apareceu e a afastou dele.
— Ele levaria uns sete anos para se decidir a pedi-la em casamento. Será que ele queria que Audrey o esperasse até a morte?
— Agora talvez dê tudo certo — falou Mary deliberadamente.
Nevile olhou-a, levantando a sobrancelha.
— A recompensa do verdadeiro amor é isso? Audrey casar-se com aquele bolha? Ela é muito boa para isso. Não, não vejo Audrey casada com o melancólico Thomas.
— Acho que ela gosta muito dele, Nevile — afirmou Mary.
— Vocês mulheres são sempre umas casamenteiras! Por que não deixam Audrey aproveitar um pouco sua liberdade?
— Certamente. Mas será que está aproveitando?
— Você acha que ela não é feliz? — perguntou Nevile, apressado.
— Não tenho a menor ideia.
— Nem eu — disse Nevile devagar. — Nunca se sabe o que Audrey está sentindo. — Ele fez uma pausa e depois acrescentou: — Na verdade, ela é perfeita! Tem classe! É correta...
Continuando, falou mais para si mesmo do que para Mary:
— Deus! Como tenho sido um completo idiota!
Mary entrou em casa um pouco preocupada. Pela terceira vez, repetiu as palavras que a reconfortavam:
— Apenas mais dois dias.
Nevile perambulou irrequieto pelo jardim e terraço.
Encontrou Audrey no fundo do jardim, sentada num muro, olhando para a água. A maré estava alta e o rio, cheio.
Ela levantou-se imediatamente indo em sua direção.

— Já ia voltar para casa, pois deve estar na hora do chá — falou nervosa e depressa, sem olhá-lo.

Calado, ele caminhou a seu lado. Somente quando chegaram ao terraço é que ele perguntou:

— Posso falar com você, Audrey?

— Acho melhor não — respondeu apressada, apertando com força a beira da balaustrada.

— Isso significa que você sabe o que tenho para dizer.

Ela não respondeu.

— O que me diz, Audrey? Não podemos voltar ao que éramos? Esquecer tudo o que aconteceu?

— Inclusive Kay?

— Kay será sensata — afirmou ele.

— O que quer dizer com sensata?

— Simplesmente isso. Direi a verdade a Kay, e contarei com a sua generosidade. Direi que você é a única mulher a quem amei.

— Você amava Kay quando se casou com ela.

— Meu casamento com Kay foi o maior erro de minha vida. Eu...

Ele parou. Kay caminhava em sua direção, e havia tamanha fúria em seus olhos que Nevile se assustou um pouco.

— Sinto interromper essa cena tocante — ironizou ela. — Mas acho que já está na hora.

Audrey levantou-se. Seu rosto e a sua voz estavam totalmente sem expressão.

— Deixarei vocês sozinhos — falou, se afastando.

— Pode ir. Você já causou todo dano que queria, não é? Mais tarde cuido de você. Agora prefiro me entender com Nevile.

— Olhe aqui, Kay, Audrey nada tem a ver com isso. Não é culpa dela. Pode me culpar, se quiser.

— E é o que vou fazer — respondeu Kay, com os olhos brilhando de raiva. — Que tipo de homem você é?

— Um pobre coitado — falou com amargura.

— Você deixa sua mulher, vem correndo atrás de mim como um obstinado e pede o divórcio. Num minuto está louco por mim, e no outro já está cansado! Suponho que agora queira voltar para aquela choramingona, pálida, gata traidora...

— Pare com isso, Kay!

— Bem, o que você quer, afinal?

Nevile estava muito pálido.

— Pode me chamar do que você quiser, mas de nada vai adiantar, Kay. Não posso continuar com essa situação. Acho que sempre estive apaixonado por Audrey, e, além do mais, meu amor por você foi uma espécie de loucura. Só sei que agora não conseguiria fazê-la feliz por muito tempo. Acredite, Kay, é melhor nos separarmos como amigos. Procure ser compreensiva.

— O que exatamente você está sugerindo? — perguntou Kay, decepcionada.

Nevile não a encarou. Havia teimosia em seu rosto.

— Que nos divorciemos. Você pode alegar abandono de lar.

— Você terá que esperar algum tempo por isso.

— Não faz mal... Eu espero — afirmou Nevile.

— E depois de três anos ou mais, você pedirá a querida e doce Audrey que se case novamente com você.

— Se ela aceitar...

— É claro que aceitará! — afirmou Kay maldosamente. — E como eu fico nesta história toda?

— Você ficará livre para encontrar um homem melhor do que eu. Naturalmente tratarei para que fique bem financeiramente...

— Chega de conversa! — gritou ela se descontrolando. — Escute aqui, Nevile, você não pode fazer isso comigo. Não lhe darei o divórcio. Casei com você porque realmente o amava. Depois que lhe contei que o segui até o Estoril é que você começou a ficar contra mim. Você preferiria acreditar que tudo não passava da obra do destino. Ao saber que fui eu e não o destino, a sua vaidade ficou abalada. Mas não estou envergonhada do que fiz! Você se apaixonou e se casou comigo, logo não vou deixar que volte para aquela gata dissimulada que o fisgou novamente. Eu juro que ela não vai conseguir o que quer! Antes disso mato você! Entendeu? Mato você e ela. Mato os dois. Eu...

Nevile segurou-lhe o braço, dizendo:

— Pelo amor de Deus, Kay. Cale a boca. Não vê que você não pode fazer esse tipo de cena aqui?

— Não posso? Você verá. Eu...

Hurstall aproximou-se. Seu rosto estava impassível.

— O chá já está servido — anunciou ele.

Kay e Nevile se encaminharam lentamente para a sala de visitas. Hurstall saiu do caminho, para deixá-los passar.

No céu, nuvens se agrupavam.

XI

A chuva começou a cair às sete horas, enquanto Nevile olhava pela janela de seu quarto. Ele e Kay não haviam conversado mais, evitando-se depois do chá.

Naquela noite, o jantar fora formal e penoso. Nevile estivera totalmente absorto em seus pensamentos; Kay se maquilara muito mais do que habitualmente; Audrey parecia um fantasma congelado; Mary Aldin, fazendo o possível para manter uma conversação, ficara um pouco aborrecida com Thomas Royde por ele não ter contracenado melhor com ela.

Hurstall estava muito nervoso, e suas mãos tremiam ao servir a salada.

Quando a refeição estava quase por acabar, Nevile falou com estudada casualidade:

— Acho que depois do jantar irei ao Easterhead visitar Latimer. Lá poderemos jogar bilhar.
— Leve a chave para o caso de voltar tarde — ofereceu Mary.
— Obrigado. Levarei.
Foram para a sala de estar, onde o café foi servido. Ligaram o rádio, o que fez com que as notícias servissem para distrair o ambiente.
Kay, que estivera bocejando ostensivamente desde o jantar, declarou que estava com dor de cabeça e que ia dormir.
— Já tomou aspirina? — indagou Mary.
— Sim, obrigada — respondeu ela, saindo da sala.
Nevile mudou para um programa musical. Sentado no sofá, todo encolhido como um garoto infeliz, permaneceu calado por muito tempo, não olhando nem uma vez para Audrey. Apesar de ser contra sua vontade, Mary sentiu muita pena dele.
— Bem, é melhor eu ir agora — disse finalmente, levantando-se.
— Você vai de carro ou de barca?
— De barca. Não tem sentido dirigir oitenta quilômetros. E, depois, será bom andar um pouco.
— Sabe que está chovendo?
— Sei. Vou levar a capa. Boa noite.
No saguão, Hurstall aproximou-se:
— Por favor, senhor. Lady Tressilian o chama. Gostaria de vê-lo imediatamente.
Nevile olhou o relógio. Eram quase dez horas. Encolheu os ombros e, indo até o quarto de Lady Tressilian, bateu à porta. Enquanto esperava a ordem para entrar, ouvia os demais se despedindo lá embaixo. Parecia que hoje todos iam dormir cedo.
— Entre — ordenou Lady Tressilian com sua voz clara.
Nevile entrou, fechando a porta.
Ela estava preparada para dormir. Todas as lâmpadas estavam apagadas, exceto a da mesa de cabeceira. Tinha posto de lado o

livro que lia. Olhou para Nevile por cima dos óculos, e foi, de certa forma, um olhar terrível.

— Quero falar com você, Nevile.

Apesar de tudo, ele sorriu timidamente e brincou:

— Sim, senhora diretora.

Lady Tressilian não retribuiu o sorriso.

— Há certas coisas que não permitirei em minha casa. Não tenho nenhuma intenção de ouvir as conversas particulares dos outros, mas, já que você e sua mulher resolveram gritar um com o outro bem debaixo da janela do meu quarto, dificilmente poderia deixar de ouvi-los. E pelo que entendi... você estava esboçando um plano, no qual Kay lhe daria o divórcio, e no tempo devido você se casaria outra vez com Audrey. Você não pode fazer isso. E não quero nem ouvir, nem saber que você ainda pensa nisso.

Nevile parecia estar se esforçando enormemente para se controlar.

— Peço desculpas pela cena, mas, quanto ao resto, garanto que é problema unicamente meu!

— Não. Não é. Você usou a minha casa para se encontrar com Audrey, ou então foi ela quem usou...

— Ela não fez nada disso. Ela...

Lady Tressilian levantou a mão, fazendo-o calar.

— De qualquer maneira, você não pode fazer o que está pretendendo. Kay é sua esposa e tem certos direitos que você não pode lhe negar. Aliás, estou inteiramente do lado de Kay. Você tem que arcar com as consequências de todos os seus atos. Seu dever agora é com Kay, e estou lhe dizendo claramente que...

Nevile deu um passo à frente. Elevou a voz:

— Esse assunto não lhe diz respeito.

— E tem mais — continuou ela apesar de seu protesto. — Audrey deixará esta casa amanhã.

— Não pode fazer isso! Não permitirei.

— Não grite comigo, Nevile.

— Digo-lhe que não vou permitir...
Em algum lugar do corredor, uma porta se fechou...

XII

Alice Bentham, a empregada de olhar apatetado, aproximou-se meio perturbada da sra. Spicer, a cozinheira.

— Não sei o que fazer, sra. Spicer.

— O que há, Alice?

— É a srta. Barrett. Levei-lhe uma xícara de chá há mais de uma hora. Como estava dormindo profundamente, não quis acordá-la. Há cinco minutos, voltei novamente a seu quarto porque o chá de Lady Tressilian já estava pronto para ser levado, e ela ainda não tinha descido. Continua dormindo e não consigo acordá-la.

— Já tentou sacudi-la?

— Sim, sra. Spicer. Sacudi sua mão com força, mas ela continua deitada com uma cor horrível.

— Meu Deus! Ela não está morta, está?

— Oh, não! Posso ouvi-la respirar, apesar de ser uma respiração esquisita. Acho que está doente, ou qualquer coisa assim.

— Bem, irei vê-la. Agora leve o chá de Lady Tressilian. É melhor prepará-lo de novo. Ela deve estar preocupada, sem saber o que aconteceu.

Enquanto a sra. Spicer se dirigia para o segundo andar, Alice cumpria obedientemente as ordens.

Carregando a bandeja, Alice bateu na porta do quarto de Lady Tressilian. Depois de bater duas vezes sem conseguir resposta, resolveu entrar assim mesmo. Um segundo depois, ouviam-se o barulho de louça quebrada e vários gritos estridentes. Alice descia correndo as escadas quando encontrou Hurstall, que se encaminhava para a sala de jantar.

— Sr. Hurstall, entraram ladrões, e Lady Tressilian está morta, assassinada, com um grande buraco na cabeça, e há sangue espalhado por toda a parte!

Um toque de mestre

I

O superintendente Battle havia aproveitado bem suas férias. Ainda faltavam três dias para terminarem, entretanto a mudança de tempo e a chuva faziam-no ficar um pouco desapontado. Mas o que se poderia esperar na Inglaterra? Felizmente, até agora, ele tivera muita sorte.

Estava tomando café com o inspetor James Lech, seu sobrinho, quando o telefone tocou.

— Irei imediatamente. — Jim desligou.

— Algum problema? — perguntou Battle, notando a expressão no rosto do sobrinho.

— Um caso de assassinato. Lady Tressilian, uma velha senhora inválida, muito conhecida aqui. É dona daquela casa, em Saltcreek, que fica no alto do penhasco.

Battle balançou a cabeça.

— Vou me encontrar com o velho. — Era assim, desrespeitosamente, que Leach se referia ao chefe de polícia. — Ele era amigo dela. Vamos juntos ao local do crime.

Quando chegou perto da porta, pediu:

— O senhor vai me ajudar nisso, não vai, tio? É o meu primeiro caso de assassinato.

— Enquanto estiver aqui, eu o ajudo. Foi um caso de furto e arrombamento?

— Ainda não sei.

II

Meia hora depois, o major Robert Mitchell, chefe de polícia, falava com seriedade com o tio e com o sobrinho.

— Ainda é cedo para afirmar, mas uma coisa é certa: não foi trabalho de estranhos. Nada foi roubado, nem há sinais de arrombamento. Pela manhã, todas as janelas e portas foram encontradas fechadas.

Ele olhou diretamente para Battle.

— Será que, se eu pedisse à Scotland Yard, eles o colocariam no caso? O senhor já está aqui, e além do mais ainda existe o seu parentesco com Leach. Bem, se o senhor estiver disposto, pois isso significaria cortar o final de suas férias.

— Isso não é problema — afirmou Battle. — Quanto ao resto, terá que ser levado ao conhecimento do sr. Edgar — Edgar Cotton era o assistente do comissário —, mas creio que ele seja seu amigo, não?

Mitchell concordou com a cabeça.

— Sim, acho que posso me entender com Edgar. Então está resolvido! Vou tratar disso agora mesmo. Ponha a Yard na linha para mim — falou ele ao telefone.

— O senhor acha que vai ser um caso importante? — indagou Battle.

— Vai ser um caso onde não poderá existir a possibilidade de enganos. É preciso estar absolutamente certo quanto ao nosso homem ou a nossa mulher.

Battle compreendeu claramente que por trás daquelas palavras havia algo.

"Ele pensa que sabe quem é o assassino", disse para si mesmo. "Apesar de não gostar de fazer prognósticos. É alguém conhecido e popular, ou não me chamo Battle!"

III

Battle e Leach estavam parados à porta do quarto bem mobiliado e, por sinal, muito bonito. No chão, em frente a eles, o oficial de polícia examinava cuidadosamente as impressões digitais que ficaram no cabo do taco de golfe... Um pesado taco de golfe. A parte superior do taco estava cheia de sangue, tendo um ou dois fios de cabelo branco presos a ele.

Ao lado da cama, o dr. Lazenby, médico legista local, estava debruçado sobre o corpo de Lady Tressilian.

Soltando um suspiro, ele se levantou.

— Foi um golpe direto. Ela foi atingida de frente, com uma força incrível. A primeira pancada, que foi a fatal, esmagou o seu osso, mas por via das dúvidas o assassino golpeou-a uma segunda vez, para ter plena certeza de que ela estaria morta. Não usarei termos complicados, e sim uma linguagem prática e de bom senso.

— Há quanto tempo está morta? — perguntou Leach.

— Eu diria... que deve ter sido entre as dez horas e a meia-noite.

— Não poderia nos dar uma hora mais exata?

— Não. Há vários fatores a serem considerados. Hoje em dia não condenamos ninguém baseados apenas em *rigor mortis*. Não foi nem antes das dez, nem depois da meia-noite.

— Ela foi atingida com este taco?

O médico olhou.

— Provavelmente! A sorte é que o assassino o esqueceu aqui. Porque, pelo tipo de ferimento, eu não poderia nunca chegar à conclusão do que teria sido usado como arma. Da forma como aconteceu, não foi a parte pontiaguda que atingiu a cabeça, e sim o seu ângulo posterior.

— Isso não seria difícil de acontecer? — indagou Leach.

— Sim, se tivesse sido proposital — concordou o médico —, mas suponho que tenha acontecido assim, por mera casualidade.

Leach levantou as mãos, tentando reconstruir o golpe.

— Estranho — comentou ele.

— Sim, é tudo muito estranho — disse o médico, pensativo. — Ela recebeu o golpe no lado direito da cabeça. Mas seja lá quem o deu, deve ter ficado do lado direito da cama, exatamente em frente à cabeceira, porque, como o ângulo entre a parede e a cama é muito pequeno, não há espaço à esquerda.

Leach aguçou os ouvidos.

— Seria canhoto? — perguntou ele.

— Eu não me arriscaria em afirmar isso — disse Lazenby. — Há sempre muitos imprevistos. É muito fácil a explicação de que o assassino seja canhoto. No entanto, existem vários outros fatos a se considerar: suponhamos, por exemplo, que a velha senhora tenha virado a cabeça ligeiramente para a esquerda na hora em que foi atingida; ou então que o criminoso tenha afastado a cama e ficado à sua esquerda, trazendo-a depois para sua posição anterior.

— Essa última hipótese não é muito provável.

— Talvez não. Mas poderia ter acontecido. Tenho alguma experiência nesse assunto e posso lhe dizer que concluir que o golpe tenha sido dado por um canhoto pode ser muito perigoso.

O sargento-detetive Jones observou:

— Esse é um taco de golfe para destros.

Leach concordou com a cabeça.

— Contudo, poderia não pertencer ao homem que o usou. Foi um homem, não foi, doutor?

— Não necessariamente. Se a arma do crime foi mesmo o taco, o assassino bem poderia ter sido uma mulher.

— Mas o senhor não pode afirmar que foi esta a arma, pode? — inquiriu Battle calmamente.

Lazenby olhou-o interessado.

— Não. Posso apenas dizer que a arma poderia ter sido o taco, e que provavelmente foi mesmo. Mandarei analisar o sangue para ver se é do mesmo tipo sanguíneo... e também os fios de cabelo.

— Sim, é sempre bom reunir todas as provas.

— O senhor também tem suas dúvidas em relação ao taco de golfe? — perguntou Lazenby, curioso.

— Não, não. Sou apenas um homem simples que gosta de acreditar no que vê. Ela foi atingida com alguma coisa pesada... e isto é pesado. O sangue e cabelo nele fazem-nos presumir que sejam da vítima. Portanto... esta deve ter sido a arma usada.

— Ela estava acordada ou dormindo quando foi golpeada? — indagou Leach.

— Em minha opinião, estava acordada, pela expressão de espanto que há em seu rosto. Acredito que ela não esperasse o que iria acontecer. Não há sinal nenhum de qualquer tentativa de luta, nem de horror ou medo em seu rosto. Direi sem compromisso que, ou ela tinha acabado de acordar e, ainda meio confusa, não entendeu o que acontecia, ou então que reconheceu, em seu assaltante, alguém que seria impossível lhe desejar algum mal.

— A única lâmpada acesa era a da mesa de cabeceira — comentou Leach, pensativo.

— Sim, isso nos dá duas alternativas. Poderia tê-la ligado ao acordar, repentinamente, com alguém entrando em seu quarto, ou então poderia já estar ligada.

O sargento-detetive, levantando-se do chão, falou sorrindo:

— Lindas impressões digitais. Perfeitamente nítidas.

— Isso deve simplificar as coisas — disse Leach, dando um profundo suspiro.

— Sujeito amável, o criminoso. Deixou a arma... Deixou as impressões digitais... É de admirar que também não tenha deixado seu cartão de visita! — comentou o dr. Lazenby.

— Pode ter perdido a cabeça. Às vezes isso acontece — observou o superintendente Battle.

— É verdade — concordou o médico. — Agora devo ir cuidar de minha paciente.

— Que paciente? — Battle parecia interessado.

— Antes de o crime ser descoberto, fui chamado pelo mordomo. Uma das empregadas de Lady Tressilian foi encontrada nesta manhã em estado de coma.

— O que aconteceu com ela?

— Estava extremamente dopada com barbitúricos. Apesar de estar muito mal, é certo que se recuperará.

— A empregada?! — falou Battle. Seu olhar se dirigiu para o cordão da campainha, cuja borla estava pousada no travesseiro, perto da mão da vítima.

Lazenby balançou a cabeça.

— Exatamente. A primeira coisa que Lady Tressilian faria caso se alarmasse seria puxar a campainha chamando a empregada. Bem, nesse caso ela poderia puxar até cansar, pois a empregada não a ouviria jamais.

— O assassino tomou precauções quanto a isso, não acha? — perguntou Battle. — Mas você tem certeza de que ela não costumava tomar remédio para dormir?

— Tenho certeza absoluta. Não encontramos nada em seu quarto. E após algumas investigações, cheguei à conclusão de como foi usada a droga: colocaram-na no chá de cássia que ela costuma tomar toda noite.

— Hum! — resmungou Battle, coçando o queixo. — Alguém conhece bem todos os hábitos desta casa. Sabe, doutor, esse é um caso de assassinato muito estranho.

— Bem — disse Lazenby —, agora o problema é todo de vocês.

— Ele é um bom homem — afirmou Leach, depois que Lazenby saiu da sala.

Agora estavam sozinhos. Haviam sido tiradas fotografias e medidas. Os dois policiais já tinham todos os dados a respeito do aposento onde o crime havia sido cometido.

Battle concordou com a observação do sobrinho, mas parecia intrigado com alguma coisa.

— Você acha que alguém... de luvas... poderia ter usado este taco... com impressões digitais anteriores?

— Não, e nem você acha. Ninguém conseguiria segurá-lo sem apagar as impressões. E estão perfeitamente nítidas, como você mesmo viu — observou Leach.

Battle concordou.

— Agora pediremos educadamente a todos para que suas impressões digitais sejam tiradas... Sem coação, é claro. Todos dirão que sim, o que acarretará duas soluções: ou nenhuma das impressões digitais corresponderá a essas, ou então...

— Ou então teremos apanhado o nosso assassino.

— Suponho que sim. Ou quem sabe... uma assassina?

— Não, não foi uma mulher. As impressões no taco são grandes demais para serem de uma mulher. Além disso, não foi um crime com características femininas.

— Tem razão — consentiu Battle. — De fato foi um crime tipicamente masculino. Brutal, másculo, um tanto atlético apesar de um pouco idiota. Conhece alguém aqui que seja assim?

— Ainda não conheço ninguém nesta casa. Estão todos reunidos na sala de jantar.

— Vamos então conhecê-los — disse Battle, dirigindo-se para a porta.

Olhando para a cama, balançou a cabeça e comentou:
— Não gosto desse cordão de campainha.
— Por quê?
— Não combina com o resto.
Acrescentou ao abrir a porta:
— Quem poderia querer matá-la? Há por aí uma porção de velhas rabugentas merecendo uma pancada na cabeça, mas ela não parecia ser desse tipo. Acredito que fosse uma pessoa querida. — Fez uma pausa e em seguida perguntou: — Ela era rica, não? Quem ficará com o dinheiro?
— O senhor acertou no alvo! Isso esclarecerá tudo. É uma das primeiras coisas a se descobrir.
Enquanto desciam as escadas, Battle olhou a lista em sua mão e a leu em voz alta:
— Srta. Aldin, sr. Royde, sr. Strange, sra. Strange, sra. Audrey Strange. Hum, parece que a família Strange é grande demais.
— São suas duas esposas.
— Um barba-azul... — murmurou Battle, levantando as sobrancelhas.
A família estava reunida em torno da mesa, onde tiveram um pretenso jantar.
O superintendente Battle olhou aguçadamente para todos os rostos virados em sua direção. Ele os estava analisando de acordo com seus próprios métodos. Se soubessem... certamente ficariam surpresos com seu julgamento: era uma visão severa e cheia de preconceitos. Apesar de a lei considerar a pessoa inocente até que se prove o contrário, o superintendente Battle sempre considerava toda e qualquer pessoa envolvida num caso de homicídio como um assassino em potencial.
Olhou para Mary Aldin, sentada ereta e pálida à cabeceira da mesa... para Audrey, com uma xícara de café na mão direita e um cigarro na esquerda... para Nevile, que parecia confuso e desnorteado, tentando, com a mão trêmula, acender um cigarro... para

Kay, com os cotovelos apoiados na mesa e sua palidez aparecendo por debaixo da maquilagem.

Foram estes os pensamentos do superintendente Battle:

"Aquela deve ser a srta. Aldin. Diria que é uma pessoa calma, competente, e que dificilmente a pegaremos desprevenida. O homem a seu lado é imprevisível, tem uma fisionomia impassível, um braço defeituoso e provavelmente complexo de inferioridade. A outra (que deve ser uma das esposas) está morrendo de medo... Sim, está mesmo muito assustada. Aquele é Strange (já o vi antes em algum lugar); está mesmo muito agitado... com os nervos em frangalhos. A ruiva é do tipo irritável, com um temperamento dos diabos. Contudo, parece ser muito esperta."

Enquanto os analisava, o inspetor Leach fazia um pequeno discurso formal. Mary Aldin citou o nome de cada um dos presentes.

— Foi um terrível choque para todos, mas estamos prontos para ajudar no que for preciso — finalizou ela.

— Para começar, alguém sabe alguma coisa sobre este taco de golfe? — indagou Leach.

— Que horrível! Foi isso o que... — exclamou Kay chocada.

Nevile Strange levantou-se e contornou a mesa.

— Parece um dos meus. O senhor me permite dar uma olhada?

— Agora não tem mais problema — falou o inspetor. — Pode segurá-lo.

A maneira significativa como o "agora" foi dito não pareceu produzir qualquer reação nos presentes. Nevile examinou o taco.

— Acho que é um dos meus. Se o senhor vier comigo, poderei confirmar com certeza.

Seguiram-no até um grande armário debaixo da escada. Ele abriu com violência a porta, e o armário estava repleto de raquetes de tênis.

Battle, lembrando-se de onde conhecia Nevile Strange, falou apressado:

— Já o vi jogar em Wimbledon.

— Ah, sim! — disse Nevile, virando parcialmente o rosto.

Ele estava tirando algumas raquetes do armário. Encostados em um equipamento de pesca, estavam os dois sacos de golfe.

— Somente minha mulher e eu jogamos — explicou Nevile. — Esse é um taco de homem... Sim... é meu.

Ele tinha apanhado o saco de golfe que continha pelo menos uns 14 tacos.

"Esses desportistas levam mesmo a coisa a sério. Não gostaria de ser seu *caddy*", pensou o inspetor Leach.

— É um taco fabricado por Walter Hudson, de St. Esbert.

— Obrigado, sr. Strange. Com isso, uma parte já está definida.

— O que me surpreende é que nada foi roubado, e além do mais a casa não parece ter sido assaltada. — Sua voz estava confusa, e também assustada.

"Eles já andaram refletindo sobre o crime...", pensou Battle.

— Os empregados são completamente inofensivos — afirmou Nevile.

— Falarei com a srta. Aldin sobre eles — explicou calmamente Leach. — Mas, agora, gostaria de saber quem são os advogados de Lady Tressilian.

— Askwith & Trelawny — esclareceu Nevile sem demora.

— Obrigado, sr. Strange. É preciso que nos informemos sobre os bens de Lady Tressilian.

— Para saber quem herdará seu dinheiro? — perguntou Nevile.

— Sim, é isso. Sobre o seu testamento e tudo o mais.

— Nada sei sobre o seu testamento, a não ser que ela pouco tinha para deixar. Entretanto posso informar-lhe sobre a distribuição de seus bens.

— Sim, sr. Strange?

— Ficarão para mim e para minha mulher, de acordo com o testamento do falecido Sir Matthew Tressilian. Sua esposa tinha os bens apenas em usufruto.

— Realmente! — O inspetor Leach olhou para Nevile com o interesse de alguém que acaba de descobrir algo importante. Seu olhar fez Nevile estremecer. O inspetor prosseguiu: — Não tem ideia do valor da fortuna, sr. Strange?

— Não posso dizer com certeza, mas creio que seja por volta de cem mil libras.

— Para cada um?

— Não. Para ser dividido entre nós dois.

— Entendo. É uma soma bastante considerável...

Nevile, sorrindo, falou com muita calma:

— Tenho bastante dinheiro para viver. Não preciso desejar desesperadamente uma herança.

Leach pareceu chocado, por serem tais ideias atribuídas a ele.

Voltaram à sala de jantar, onde Leach fez outro breve discurso. Dessa vez foi sobre as impressões digitais, uma simples questão de rotina, para descartar os empregados com acesso ao quarto da vítima.

Todos expressaram desejo, quase ansiedade, para terem suas impressões digitais tiradas.

E com essa finalidade, foram para a biblioteca, onde o detetive Jones os esperava com seu equipamento.

O interrogatório começou pelos empregados.

Pouco tinham a dizer. Hurstall explicou seu hábito de trancar a casa e jurou que encontrara tudo conforme deixara na noite anterior: não havia nenhum sinal de arrombamento. A porta da frente, explicou, não fora trancada com o ferrolho, mas apenas com a chave, porque o sr. Nevile tinha ido a Easterhead Bay e voltaria tarde.

— Sabe a que horas voltou?

— Sim, senhor, creio que foi por volta das duas e meia da madrugada. Acho que alguém veio com ele, pois ouvi vozes. Também ouvi um carro se afastando, a porta se fechando e, logo após, o sr. Nevile subindo as escadas.

— A que horas ele foi para Easterhead Bay?

— Por volta das 22h20. Ouvi quando fechou a porta.

Hurstall, por não ter muito mais a dizer, foi dispensado. Leach continuou entrevistando os outros criados. Todos pareciam nervosos e assustados, mas não mais do que seria natural naquelas circunstâncias.

O inspetor olhou de modo inquisitivo para seu tio quando a porta se fechou atrás da ligeiramente histérica ajudante de cozinha, a última a ser interrogada.

— Traga a empregada de volta. Não a de olhar assustado, mas sim a alta e magra, e um tanto carrancuda. Ela sabe de alguma coisa.

Era evidente a inquietação de Emma Wales, que estava completamente alarmada, por agora estar sendo interrogada por aquele homem mais velho.

— Vou lhe dar um conselho, srta. Wales — disse ele cordialmente —, não deve esconder nada da polícia. Pois, se o fizer, fará com que a senhorita mesma se comprometa... Se é que realmente compreende o que quero dizer...

Emma Wales protestou indignada e nervosa:

— Tenho certeza de que nunca...

— Agora chega! — ordenou Battle, levantando sua grande mão. — Você viu ou ouviu alguma coisa. O que foi?

— Eu não ouvi exatamente... quero dizer... não pude deixar de ouvir. O sr. Hurstall também ouviu. E acho que aquilo nada teve a ver com o assassinato.

— Provavelmente não, mas diga-nos de uma vez o que escutou.

— Bem, era pouco depois das dez, e eu ia subir para dormir. No entanto, antes de me recolher, tinha que deixar o saco de água quente que a srta. Mary Aldin usa, seja no verão ou no inverno. Naturalmente que, para isso, eu teria que passar pela porta de Lady Tressilian.

— Continue — apressou Battle.

— Foi quando a ouvi discutindo acaloradamente com o sr. Nevile. As vozes estavam muito exaltadas, e algumas vezes ele gritava. Oh, era uma briga séria!

— Lembra-se bem do que diziam?
— Bom, eu não estava exatamente prestando atenção.
— Eu sei. Mas mesmo assim deve ter entreouvido ao menos algumas palavras.
— Ela dizia que não ia admitir não sei bem o que em sua casa, e em seguida o sr. Nevile respondia: "Não ouse dizer nada contra ela." Ele parecia muito agitado.

Battle, com o rosto inexpressivo, tentou perguntar-lhe mais alguma coisa, porém, não conseguindo mais nenhuma declaração, acabou por dispensá-la.

Ele e Jim se entreolharam. Em seguida, Leach falou:
— Jones a esta altura já deve ter alguma coisa para nos dizer sobre aquelas impressões digitais.
— Quem está revistando os quartos? — indagou Battle.
— Williams. Ele é muito eficiente, não deixará escapar nada.
— Cada um dos ocupantes está sendo mantido afastado do seu quarto?
— Sim, até que Williams termine o seu trabalho.

A porta se abriu, e o jovem Williams apareceu.
— Venham ver o que encontrei no quarto do sr. Nevile.

Seguiram-no até a suíte do lado oeste da casa. Williams apontou para um amontoado de roupas no chão. Um casaco azul-marinho, calças e colete.
— Onde encontrou isso? — perguntou Leach prontamente.
— Estavam jogados no fundo do armário. Agora, olhe isto aqui, senhor.

Apanhando o casaco azul-marinho, mostrou as manchas nos punhos.
— Estão vendo estas manchas escuras? Aposto que é sangue! E está espalhado por toda a manga.
— Hum! — resmungou Battle, evitando o olhar ansioso do outro. — Devo dizer que a situação parece feia para o jovem Nevile. Há algum outro terno no quarto?

— Sim, um terno cinza-escuro listrado jogado na cadeira. E tem ainda muita água no chão perto da bacia.

— Parece que ele tentou limpar o sangue com muita pressa. Contudo, não podemos afirmar nada, pois está perto da janela, e não se pode esquecer que choveu bastante.

— Não o bastante para fazer essas poças no chão, senhor. E ainda não secaram.

Battle ficou em silêncio. Uma imagem estava se formando diante de seus olhos: um homem com sangue nas mãos e nas mangas, tirando a roupa com violência e jogando-a suja no fundo do armário. Em seguida, lavando furiosamente suas mãos e seus braços.

Olhou para a porta da parede em frente.

— É o quarto da sra. Strange, senhor. A porta está trancada — explicou Williams.

— Trancada? Deste lado?

— Não, do outro.

— Do lado da sra. Strange, hein?

Battle ficou alguns minutos pensativo. Por fim, falou:

— Vamos ver novamente aquele velho mordomo.

Hurstall estava nervoso. Leach perguntou-lhe, enérgico:

— Por que não nos disse, Hurstall, que tinha ouvido uma discussão entre o sr. Strange e Lady Tressilian ontem à noite?

O velho homem piscou, nervoso.

— Não dei muita importância ao fato, senhor. Não creio que se possa chamar aquilo de discussão, mas sim de uma amigável divergência de opiniões.

Resistindo à tentação de dizer "amigável divergência de opiniões uma ova!", Leach perguntou:

— Que terno o sr. Strange usou ontem à noite no jantar?

Hurstall hesitou. Battle falou com calma:

— Era azul-marinho ou cinza listrado? Certamente, se o senhor não se lembra, outra pessoa poderá nos responder.

— Ah, estou me lembrando agora. Era um terno azul-marinho. Durante os meses de verão — continuou ansioso, para não perder o prestígio — a família não tem o hábito de usar traje a rigor. Frequentemente saem após o jantar, indo algumas vezes para o jardim, ou então até o ancoradouro.

Battle dispensou Hurstall, que ao sair encontrou Jones parecendo agitado.

— Vai ser uma barbada! Tirei as impressões digitais de todos. E apenas uma combina com as anteriores. Por enquanto, só pude fazer uma comparação grosseira, mas posso apostar que são essas mesmo.

— Então? — indagou Battle.

— As impressões digitais no taco são do sr. Nevile Strange.

— Bem — disse Battle, recostando-se na cadeira —, parece que isso resolve tudo, não é?

IV

Três homens de rostos graves e preocupados estavam no gabinete do chefe de polícia...

— Bem, acho que não há nada a fazer, a não ser prendê-lo — afirmou o major Mitchell com um suspiro.

— É o que parece, senhor — respondeu Leach.

Mitchell olhou o superintendente Battle.

— Ânimo, Battle — disse gentilmente. — Não foi seu melhor amigo quem morreu.

— Isso não está me agradando — suspirou Battle.

— Não creio que esteja agradando a nenhum de nós, mas já temos evidências suficientes para que um mandado de prisão seja feito — afirmou Mitchell.

— Sim. Mais do que o suficiente — confirmou Battle.

— O fato é que, se não emitirmos uma ordem de prisão, perguntarão por que diabos isso ainda não foi feito.

Battle balançou a cabeça, insatisfeito.

— Vamos recapitular tudo — disse o chefe de polícia. — Temos o motivo: com a morte de Lady Tressilian, Strange e sua mulher receberão uma considerável soma em dinheiro. Pelo que sabemos, foi a última pessoa a vê-la com vida, e também o ouviram discutindo com ela. O terno que ele usou naquela noite tinha manchas de sangue, as quais são do mesmo tipo sanguíneo do da vítima. E o que veio agravar a situação é que suas impressões digitais foram encontradas na arma do crime... e as de mais ninguém.

— Ainda assim, isso também não está agradando o senhor — comentou Battle.

— Pode estar certo que não!

— De que exatamente o senhor não está gostando?

O major Mitchell esfregou o nariz.

— Tudo isso faz com que o criminoso pareça um pouco tolo demais, não acha? — perguntou.

— É. Mas às vezes eles se comportam como verdadeiros tolos.

— Ah! Eu sei... Eu sei. Onde estaríamos se não fosse assim?

— E você, Jim, de que não gosta nisso tudo? — perguntou Battle a Leach.

— Sempre simpatizei com o sr. Strange. Durante anos o tenho visto por aqui. Ele é um cavalheiro muito educado e um desportista excelente.

— Não vejo por que um bom jogador de tênis não possa ser também um assassino. Não há nada que o impeça. — Battle fez uma pausa. — Só não gosto é do taco de golfe.

— O taco de golfe? — indagou Mitchell, ligeiramente intrigado.

— Sim, e tampouco da campainha. Ou um... ou outro... mas nunca os dois...

Ele continuou com calma e cautela.

— O que acha que realmente aconteceu? O sr. Strange foi até o quarto dela, onde tiveram uma forte discussão. Perdendo a calma, golpeou-a na cabeça? Se não tivesse sido premeditado, por que razão estaria ele com um taco de golfe exatamente naquela hora? Não é o tipo de coisa que se carrega por aí durante a noite.

— Ele poderia ter praticado umas jogadas, ou algo assim, quem sabe?

— É, talvez, mas ninguém o viu fazê-lo. A última vez em que foi visto com um taco na mão foi na semana passada, quando praticava umas tacadas na areia. Na minha opinião, há duas possibilidades. Ou houve uma discussão e ele perdeu a cabeça... mas lembrem-se de que o vi em um torneio de tênis, onde os jogadores ficam agitados e sob tremenda pressão, e pude notar que se descontrolam facilmente. Nunca vi o sr. Strange perturbar-se. Diria que tem um grande controle de si mesmo, muito maior do que a maioria das pessoas. E aqui estamos nós, sugerindo que ele tenha freneticamente atingido, na cabeça, uma frágil senhora.

— Há ainda outra alternativa, Battle — disse o chefe de polícia.

— Eu sei: é a teoria de que houve premeditação, por estar ele querendo o dinheiro. Isso se enquadra com a campainha e com a empregada narcotizada, mas nunca com o taco nem com a discussão. Se ele tivesse decidido matá-la, teria evitado qualquer discussão, e teria poupado a empregada. Teria entrado furtivamente no quarto de Lady Tressilian, matando-a; simulado um pequeno roubo e, por fim, limpado o taco de tênis, guardando-o de volta em seu lugar. Porém, está tudo errado! Há mistura de uma fria premeditação com uma violência não premeditada... que simplesmente não combina!

— Está certo no que diz, Battle. Mas, então, qual é a alternativa?

— É o taco que me intriga, senhor.

— É mais do que certo que ninguém poderia usá-lo sem que as impressões digitais do sr. Nevile fossem apagadas.

— Nesse caso — afirmou o superintendente Battle — ela foi atingida na cabeça por algum outro objeto.

— É uma hipótese um tanto absurda, não acha?

— É uma questão de bom senso, senhor. Ou foi Strange quem a golpeou com o taco, ou mais ninguém. Meu voto é por ninguém. Nesse caso, o taco foi deliberadamente colocado no quarto, com sangue e fios de cabelo espalhados nele. O dr. Lazenby também não está muito disposto a aceitar o taco como a arma do crime, mas teve de fazê-lo por não ter nada que o contradissesse.

O major Mitchell recostou-se na cadeira.

— Continue, Battle. Estou lhe dando carta branca. Qual é o próximo passo?

— Deixando de lado o taco — prosseguiu Battle —, o que resta? Primeiro, o motivo. Tinha Nevile Strange realmente um motivo para matar Lady Tressilian? Ele herdaria o dinheiro. Mas, em minha opinião, tudo depende se ele realmente necessita desse dinheiro. Ele afirma que não. Sugiro que o estado de suas finanças seja verificado. Se for constatado que está em aperto financeiro e precisando do dinheiro, então as suspeitas aumentarão. Se, por outro lado, estiver falando a verdade, e estiver bem de finanças, por que então...?

— Então?

— Então teremos que investigar os motivos de todas as outras pessoas.

— Acha que tentaram incriminar Nevile?

O superintendente Battle apertou os olhos.

— Há uma frase que li em algum lugar, que ativa minha imaginação. Alguma coisa sobre um toque de mestre. É... É isso o que acredito ver nesse caso. Ostensivamente foi um crime brutal e direto, mas entrevejo algo mais... um verdadeiro toque de mestre por trás disso tudo.

Durante uma longa pausa, o chefe de polícia ficou encarando o superintendente Battle.

— Talvez tenha razão. Raios! Há algo esquisito nessa história! Como pretende agir agora?

— Bem, senhor, sou sempre a favor de agir da maneira mais óbvia. Foi tudo preparado para suspeitarmos do sr. Nevile Strange. Portanto, continuaremos a suspeitar dele. Não precisamos chegar ao ponto de prendê-lo, mas podemos intimidá-lo, interrogá-lo, deixá-lo com medo, e observar a reação de todos. Verificaremos seus depoimentos e analisaremos cuidadosamente cada movimento da noite do crime. Colocaremos as cartas na mesa.

— Bastante maquiavélico — comentou o major Mitchell com uma piscadela. — A imitação de um desastrado policial, pelo grande ator Battle.

O superintendente Battle sorriu.

— Sempre gosto de fazer o que esperam de mim. Dessa vez, pretendo ir com muita calma... e não me apressar. Quero bisbilhotar um pouco; e suspeitar do sr. Strange é uma boa desculpa para isso. Tenho a impressão de que alguma coisa muito estranha está acontecendo naquela casa.

— Quem sabe se não é uma incriminação passional?

— Se o senhor quer colocar tudo sob esse ângulo!

— Trabalhe à sua maneira, Battle. Deixo o assunto em suas mãos e nas de Leach.

— Então ficaremos de olho naqueles três — afirmou Battle.

— Você é um sujeito desconfiado, não é? — disse Mitchell parecendo se divertir.

— É bom não nos impressionarmos com cinquenta mil libras — observou Battle, impassível. — Já foram cometidos muitos outros homicídios por muito menos de cinquenta libras. Depende de quanto se queira o dinheiro. Barrett ganhou sua parte na herança; quem sabe não tomou a precaução de se dopar para evitar suspeitas?

— Mas quase morreu, e lembre-se de que Lazenby ainda não nos deixou interrogá-la.

— Talvez, por ignorância, ela tenha exagerado na dose. Hurstall também pode ter precisado, desesperadamente, de dinheiro. E Mary Aldin, que não tem dinheiro, pode ter se imaginado vivendo de renda própria, antes de ficar velha demais para poder se aproveitar disso.

O chefe de polícia pareceu ficar na dúvida.

— Bem — disse ele —, deixo o assunto em suas mãos. Continuem o trabalho.

V

Ao voltarem a Gull's Point, os dois policiais receberam o relatório de Williams.

Nada de natureza significativa ou suspeita fora encontrado nos quartos. Os empregados pediam autorização para continuar com o trabalho doméstico.

— Pode dá-la — disse Battle. — Antes, porém, eu mesmo vou dar uma olhada lá em cima. Os quartos frequentemente revelam alguma coisa característica de seus donos.

Jones pousou na mesa uma pequena caixa de papelão.

— Isso estava no casaco azul-marinho do sr. Nevile Strange — explicou. — Os cabelos ruivos estavam no punho, e os louros, no lado de dentro do colarinho e no ombro direito.

Battle olhou os dois longos fios de cabelo ruivo, e meia dúzia de fios louros.

— Muito conveniente — comentou Battle, com um leve brilho nos olhos. — Temos nesta casa uma loura, uma ruiva e uma morena. Sendo assim, saberemos de imediato o que queremos. O sr. Nevile tem um quê de Barba Azul. Seu braço em torno de uma das esposas, e a outra com a cabeça apoiada em seu ombro.

— O sangue da camisa já foi mandado para análise, senhor. E assim que tiverem o resultado nos telefonarão.

— E quanto aos criados?

— Segui suas instruções, senhor. Chequei os empregados e verifiquei que nenhum deles fora mandado embora, ou mesmo guarda rancor da velha senhora! Ela era severa, mas muito querida. De qualquer maneira, Mary Aldin é quem controla os empregados, e parece ser muito benquista entre eles.

— No momento em que pus os olhos nela, vi que era uma mulher eficiente — comentou Battle. — Se ela for a assassina, não será fácil enforcá-la.

— Mas aquelas impressões digitais no taco eram... — falou Leach, espantado.

— Sei... Sei — disse Battle. — Do excepcionalmente amável sr. Strange. Há uma crença geral de que os atletas não são lá muito inteligentes (o que aliás, nem sempre é verdade), mas não acredito que Nevile Strange seja um completo débil mental. Mudando de assunto, o que apuraram sobre o chá de cássia?

— Fica sempre no armário do banheiro da empregada, no segundo andar. Ela costuma colocá-lo de molho ao meio-dia, ficando lá até a hora em que ela vai dormir.

— Sendo assim, qualquer pessoa teria acesso a ele, ou melhor, qualquer pessoa de dentro da casa.

— Não há dúvida de que foi um trabalho interno! — afirmou Leach com convicção.

— Sim, acho que sim. Não que esse seja um daqueles crimes de poucos suspeitos. Qualquer um que tivesse a chave poderia abrir a porta da frente e entrar. Ontem à noite, Nevile tinha essa chave. Mas poderia ser uma simples questão de mandar-se fazer outra, ou alguém, com alguma experiência, poderia abri-la com um pedaço de arame. Entretanto não vejo como um estranho poderia saber sobre a campainha e sobre o chá de cássia que Barrett tomava toda noite. Só as pessoas da casa poderiam ter conhecimento disso! Venha, Jim, vamos subir e ver o banheiro e todo o resto.

Chegaram ao andar superior. Em primeiro lugar olharam um pequeno quarto cheio de mobília quebrada e sucata de todo o tipo.

— Não examinei esse quarto, senhor. Não sabia o que...

— O que procurar aqui? Tem razão. É perda de tempo mesmo. Pela poeira que há no chão, ninguém vem aqui há pelo menos seis meses.

Todos os quartos dos empregados ficavam naquele andar, como também dois aposentos desocupados e um banheiro. Battle inspecionou cada quarto, notando que Alice, a empregada de olhos esbugalhados, dormia com a janela fechada; que Emma, a magra, tinha muitos parentes, cujas fotografias estavam agrupadas no fundo da gaveta; e que Hurstall tinha uma ou duas peças boas de porcelana da Dresden & Crown, apesar de lascadas.

O quarto da cozinheira era rigorosamente limpo, e o de sua ajudante, caoticamente desarrumado. Em seguida foram até o banheiro, que era o aposento mais próximo da escada. Williams apontou para a comprida prateleira em cima da pia, onde havia escovas, copos, vários unguentos, vidros de sais e loção para cabelo. Em um dos cantos, um pacote de cássia estava aberto.

— Você não encontrou nenhuma impressão digital no copo ou no pacote?

— Somente as da própria empregada.

— É, realmente seria... seria suficiente jogar a droga dentro do copo, sem que para isso fosse preciso segurá-lo.

Battle, acompanhado de Leach, começou a descer. No topo da escada havia uma janela um tanto malsituada, e perto dela havia uma vara com um gancho na ponta.

— Com ela se abre a parte de cima da janela — explicou Leach. — Entretanto, o fecho de segurança só permite abrir até um determinado ponto, que é demasiado estreito para que alguém possa entrar.

— Não imaginei que alguém tivesse entrado por aí — ponderou Battle.

Entraram no quarto de Audrey Strange. Era arrumado, arejado, com escovas de marfim em cima da penteadeira, e não havia nenhuma roupa espalhada. No armário havia dois casacos e saias bem simples, alguns vestidos para a noite, um ou dois trajes de verão. Eram vestidos baratos, embora houvesse também algumas roupas bem talhadas e caras, apesar de não serem novas.

Battle ficou algum tempo brincando com a caneta que estava perto do mata-borrão.

— Não encontrei nada que me interessasse, nem no mata-borrão, nem na cesta de papel.

— Sua palavra é o bastante — afirmou Battle. — Podemos então passar para o outro quarto.

O de Thomas Royde era desarrumado, com roupas espalhadas, cachimbos e cinzas por todos os móveis e inclusive ao lado da cama, onde havia um exemplar de *Kim*, de Kipling.

— Bem se vê que está acostumado a ter o serviço dos nativos para limpar tudo — concluiu Battle. — Gosta de ler velhos clássicos. Eu o chamaria de conservador.

O quarto de Mary Aldin era pequeno, mas muito confortável. Battle notou que as prateleiras acomodavam livros de viagens e escovas de prata antigas. A decoração era bem mais moderna do que a do resto da casa.

— Essa já não é tão conservadora, não acha? — observou Battle. — Nem há fotografias! Não é o tipo de pessoa que vive do passado.

Ainda viram três ou quatro aposentos desocupados, apesar de limpos e arrumados, prontos para serem usados. Adiante, estava o amplo quarto de casal de Lady Tressilian. A seguir, subindo-se três pequenos degraus, ficava a suíte dos Strange.

Battle não gastou muito tempo no quarto de Nevile. Olhou pela janela as pedras que caíam abruptamente em direção do mar.

A vista dava para o lado oeste, onde Stark Head se erguia selvagem e misteriosa.

— Bate sol aqui à tarde — murmurou ele. — Entretanto, pela manhã, a vista é assustadora: aquele cabo tem uma aparência horrível. Não me admira que atraia suicidas.

Entrou no quarto de Kay, onde reinava a maior confusão. As roupas estavam completamente amontoadas: meias finas, roupas de baixo, blusas, modelos de verão jogados na cadeira. Battle viu o armário cheio de peles, vestidos a rigor, shorts, roupa de tênis, trajes esportivos.

Fechou a porta quase que com reverência e comentou:

— Ela tem gostos dispendiosos. Tudo isso deve sair muito caro para seu marido.

— Talvez por isso... — disse Leach sombriamente.

— Talvez por isso precisasse das cem... ou, melhor, das cinquenta mil libras? Quem sabe? Acho melhor vermos o que ele tem a nos dizer.

Desceram até a biblioteca. Williams ficou encarregado de avisar aos empregados que já podiam voltar aos seus habituais afazeres domésticos, e que os ocupantes poderiam voltar aos quartos se assim o desejassem. Deveria avisar ainda que o inspetor Leach gostaria de entrevistar cada uma das pessoas separadamente, sendo que o sr. Nevile deveria ser o primeiro.

Quando Williams saiu da sala, Battle e Leach se acomodaram atrás de uma pesada mesa vitoriana. Um jovem policial, com um bloco de anotação, sentou-se sério em um dos cantos da sala.

— Você cuida desta parte, Jim. Seja incisivo.

Leach concordou com a cabeça, e Battle esfregou o queixo, franzindo a testa:

— Gostaria de saber por que não consigo tirar Hercule Poirot de minha cabeça?

— Está se referindo àquele sujeitinho engraçado... o belga?

— Engraçado coisa nenhuma! Quando se faz passar por charlatão... é tão perigoso quanto uma cobra ou um leopardo! Gostaria que estivesse aqui agora, pois esse caso se enquadra perfeitamente em sua especialidade.

— Mas de que maneira? — perguntou Leach.

— Psicologia — respondeu Battle. — Psicologia verdadeira, e não aquelas tolices apresentadas por pessoas inexperientes, que nada sabem sobre o assunto. — Sua memória voltou-se ressentida para a srta. Amphrey e sua filha, Sylvia. — Para ele, a verdadeira compreensão de um assunto é saber exatamente o que faz as engrenagens funcionarem. Uma de suas táticas é manter o assassino falando, pois diz que, com isso, mais cedo ou mais tarde, o criminoso acaba contando a verdade. Para todos, é mais fácil contar tudo do que continuar inventando mentiras. Assim, um deslize cometido, mesmo que pareça sem importância, é o suficiente para que o peguemos.

— É assim que pretende agir com Nevile?

Distraído, Battle concordou. Depois prosseguiu um tanto surpreso e aborrecido:

— O que realmente me preocupa é saber por que me lembrei de Hercule Poirot. Acho que foi alguma coisa que devo ter visto lá em cima. O que terá sido?

A conversa terminou com a chegada de Nevile.

Estava pálido e preocupado, porém muito menos nervoso do que pela manhã. Battle estudou-o com atenção. Era incrível como um homem capaz de algum raciocínio, ciente de que as suas impressões digitais tinham sido reconhecidas pela polícia, não demonstrasse um intenso nervosismo, ou enfrentasse a situação de uma forma descarada. Contudo, Nevile parecia bastante natural: chocado, preocupado, aflito, apenas aparentando um pouco de nervosismo saudável.

Jim Leach falava com o seu agradável sotaque do oeste.

— Gostaríamos, sr. Nevile, que respondesse algumas perguntas relativas aos seus atos de ontem à noite e, também, outros dados particulares. Devo entretanto avisá-lo de que não é obrigado a responder estas perguntas sem a presença do seu advogado, se preferir fazê-lo dessa maneira.

Leach recostou-se para ver o efeito que essa observação lhe causara. Nevile parecia meio confuso.

"Ou ele não tem a menor ideia do que sabemos, ou então é um ótimo ator", pensou Leach. E como ele continuava calado, o inspetor insistiu:

— E então, sr. Strange?

— Estou pronto para responder o que quiserem saber.

— Compreenda bem que tudo o que disser aqui poderá ser usado como prova contra o senhor no tribunal.

Um lampejo de raiva apareceu no rosto de Strange.

— Isso é uma ameaça?

— Não, não, sr. Strange. Estou apenas prevenindo o senhor.

Nevile encolheu os ombros, mostrando indiferença.

— Já que isso faz parte da sua rotina, pode começar.

— O senhor está pronto para fazer uma declaração?

— Se é assim que vocês chamam!

— Para iniciar, o senhor nos contará o que fez ontem à noite, a partir da hora do jantar.

— É lógico. Depois do jantar fomos todos para a sala de visitas, onde tomamos café e ouvimos rádio. Então resolvi ir até o Hotel Easterhead Bay para visitar um amigo que está hospedado lá.

— Qual é o nome dele?

— Latimer. Edward Latimer.

— Ele é seu amigo íntimo?

— Mais ou menos. Temos nos encontrado com bastante frequência. Tanto ele tem vindo almoçar e jantar conosco, quanto nós também já estivemos lá.

— Um tanto tarde para ir até Easterhead Bay, não acha?

— Ora! É um lugar bastante animado. Fica aberto a noite toda.

— Nesse caso, os empregados tiveram que ficar acordados para esperá-lo, não foi?

— Não. Eu levei a chave.
— Sua esposa não quis acompanhá-lo?
— Não. Ela estava com dor de cabeça e já tinha ido se deitar — respondeu Nevile com a voz um pouco dura.
— Prossiga, sr. Strange.
— Ia subir para trocar de roupa, quando...
— Desculpe-me, sr. Strange, mas trocar como? Vestir ou tirar a roupa a rigor?
— Nem uma coisa, nem outra. Estava usando um terno azul-marinho, aliás, o meu melhor terno. No entanto estava chovendo um pouco; e como eu pretendia ir de barca até lá, teria que caminhar forçosamente até o hotel. Assim, vesti uma roupa mais velha, um terno cinza listrado. Já que todos os detalhes são importantes, espero estar lhe ajudando.
— Gostamos de tudo bem esclarecido, sr. Nevile — explicou Leach humildemente. — Por favor, continue.
— Como estava dizendo, ia subir para trocar de roupa quando Hurstall aproximou-se, dizendo que Lady Tressilian queria falar comigo. Fui até o seu quarto e conversei um pouco com ela.
— O senhor foi a última pessoa a vê-la com vida, não foi?
Nevile corou.
— Sim, sim. Suponho que sim. Na ocasião ela estava muito bem.
— Durante quanto tempo ficou com ela?
— Cerca de uns vinte minutos, meia hora no máximo. Logo depois, fui para o meu quarto trocar de roupa. E, quando saí, levei a chave da porta da frente comigo.
— A que horas foi isso?
— Acho que foi por volta das 22h30. Apresssei-me e peguei a barca que já estava de saída. Encontrei Latimer no hotel, onde bebemos um pouco e jogamos bilhar. O tempo passou tão depressa que, quando vi, já tinha perdido a última barca, a que sai à 1h30. Sendo assim, Latimer, muito amável, se ofereceu para trazer-me

de carro. Como você sabe, isso significa dar toda a volta por Saltington... 25 quilômetros, mais precisamente. Saímos do hotel às duas horas, e diria que chegamos meia hora depois. Agradeci a Ted Latimer e convidei-o para um drinque, o que ele recusou. Dessa maneira, entrei em casa indo direto para a cama. Não vi nem ouvi nada de anormal. A casa parecia sossegada e tranquila. Só esta manhã é que ouvi... aquela moça gritando e...

Leach o interrompeu.

— Está bem! Está bem! Vamos voltar à sua conversa com Lady Tressilian. Ela parecia bem?

— Ah, certamente.

— Sobre o que conversaram?

— Futilidades!

— Amigavelmente?

— Lógico! — exclamou Nevile, corando.

— Por acaso, vocês não tiveram uma discussão violenta?

Nevile não respondeu. Entretanto Leach insistiu:

— É melhor dizer a verdade, porque, por acaso, a sua conversa foi ouvida.

— Realmente houve um pequeno desentendimento, mas nada tão importante.

— E qual foi o motivo desse desentendimento, sr. Strange? — perguntou Leach.

Com esforço, Nevile recobrou a calma, e sorriu:

— Para lhe falar francamente, ela me passou um sermão, o que acontecia com frequência. Sabia demonstrar sua raiva quando discordava de alguém. Era uma pessoa antiquada e contra todas as ideias modernas, assim como o divórcio. Tivemos uma pequena discussão, e talvez eu tenha me exaltado um pouco, mas nos despedimos em termos amigáveis, apesar dos nossos pontos de vista divergirem. — Nevile acrescentou um tanto inflamado: — Certamente não golpeei sua cabeça só porque perdi a calma numa discussão, se é isso o que está imaginando!

Leach olhou para Battle, que, debruçando-se na mesa, disse;
— Esta manhã o senhor identificou o taco de golfe como seu. Tem alguma explicação para o fato de terem encontrado nele as suas impressões digitais?
— Eu... mas é claro que sim... o taco é meu, e eu o uso com frequência.
— As impressões provam que o senhor foi a última pessoa a usá-lo. Existe alguma explicação para isso?
Nevile estava imóvel, e o colorido sumira de seu rosto.
— Isso não é verdade — disse finalmente. — Não pode ser. Alguém o usou depois de mim... Alguém usando luvas.
— Não, sr. Strange. Ninguém poderia tê-lo usado. Não da maneira que o senhor pensa, isto é, levantando-o para o golpe. Para isso, as suas digitais estariam confusas.
Houve um silêncio... Um silêncio muito longo.
— Ah, Deus! — exclamou Nevile estremecendo. Colocou as mãos sobre os olhos. Os dois policiais observavam-no.
Tirando as mãos dos olhos, sentou-se rígido.
— Não é verdade — afirmou calmamente. — Simplesmente não é verdade. Os senhores pensam que eu a matei, mas juro que não fui eu. Está havendo um terrível engano.
— Nesse caso, o senhor pode nos explicar aquelas impressões no taco?
— Como é que eu posso? Estou completamente aturdido.
— Tem alguma explicação para o fato de as mangas e os punhos de seu terno azul-marinho estarem manchados de sangue?
— Sangue? Não pode ser! — exclamou perplexo.
— O senhor, por acaso, não se cortou?
— Não, claro que não!
Nevile Strange, com a testa enrugada, parecia estar pensando. Finalmente, levantou os olhos, onde medo e pânico estavam estampados.
— É fantástico! Simplesmente fantástico! Nada disso é verdade.

— Os fatos estão bastante claros — contestou o superintendente Battle.

— Mas por que eu faria tal coisa? É totalmente inconcebível... inacreditável. Sempre fui amigo de Camilla.

— O senhor mesmo nos disse que com a morte de Lady Tressilian herdaria muito dinheiro.

— Acha que por isso eu... mas eu não quero dinheiro. Não preciso.

— Isso — comentou Leach, com um pigarro — é o que o senhor nos diz, sr. Strange.

Nevile levantou-se repentinamente.

— Olhe aqui: isso é algo que posso lhes provar! É só me deixarem telefonar para o gerente do banco, e o senhor mesmo poderá falar com ele.

Em poucos minutos, a ligação para Londres foi completada. Nevile falou:

— É você, Ronaldson? Aqui quem fala é Nevile Strange. Você conhece minha voz. Quero que informe à polícia... É. Estão aqui agora... tudo o que quiserem saber sobre minha situação financeira... sim, sim... por favor.

Leach pegou o telefone. Falava calmamente, fazendo perguntas e dando respostas. Por fim, acabou desligando.

— E então? — perguntou Nevile ansioso.

— O senhor tem um grande saldo bancário; e o banco, que é encarregado de todos os seus investimentos, declara que estão todos em ótima condição.

— O que prova que eu disse a verdade!

— É o que parece. Mas ainda há a hipótese de que o senhor tenha compromissos, dívidas, pagamento de extorsão, ou qualquer outra razão desconhecida, para precisar do dinheiro.

— Mas não tenho nada a esconder! Garanto-lhe que não vai encontrar nada desse tipo.

O superintendente Battle falou em um tom amigável:

— O senhor deve concordar, sr. Nevile, que temos provas suficientes para experdimos um mandado de prisão. Contudo, ainda não o fizemos, porque estamos lhe dando o benefício da dúvida.

— Quer dizer com isso que o senhor já decidiu que realmente fui eu quem a matou, mas que é preciso descobrir o motivo, para que o caso possa ser encerrado, não é isso? — perguntou Nevile amargamente.

Battle permaneceu calado, e Leach olhando para o teto.

— Parece até um pesadelo! Não há nada que eu possa dizer ou fazer. É como estar preso numa armadilha, sem poder sair — desesperou-se Nevile.

O superintendente mexeu-se, agitado. Um brilho inteligente apareceu em seus olhos semicerrados.

— Muito bem pensado — comentou. — Realmente muito bem pensado. Isso me dá uma ideia...

VI

Para que marido e mulher não se encontrassem, o sargento Jones, astutamente, fez com que Nevile se retirasse pela sala de jantar, e com que Kay entrasse pela porta do terraço.

— Mesmo assim, é inevitável que ele se encontre com os outros — observou Leach.

— Não tem problema — esclareceu Battle. — Ela é a única pessoa que faço questão de entrevistar antes que saiba de alguma coisa.

Com o vento cortante, o dia tornara-se sombrio. Kay usava uma saia de lã, suéter roxo, e seu cabelo tinha a aparência de uma brilhante auréola de cobre. Parecia um tanto assustada e tensa.

Sua beleza e vitalidade resplandeciam naquele escuro e pesado cenário vitoriano.

Com bastante facilidade, Leach conseguiu com que ela fizesse um relatório da sua noite anterior.

Por causa de uma dor de cabeça, ela se recolhera cedo: mais ou menos por volta das 21h15. Tinha dormido profundamente. Nada ouvira de anormal, até ser acordada com alguém gritando de manhã.

Battle passou a interrogá-la.

— Seu marido não foi vê-la antes de sair?

— Não.

— A senhora não o viu desde a hora em que ele deixou a sala de visitas até a manhã seguinte, está correto?

Kay concordou com a cabeça.

— Sra. Strange, a porta de comunicação entre o seu quarto e o de seu marido estava trancada. Quem a trancou?

— Fui eu.

Battle nada disse... Esperou... como um gato experiente que espera o rato sair do buraco que está vigiando.

O seu silêncio teve o efeito que suas perguntas talvez não conseguissem ter. Descontrolando-se, Kay falou:

— Oh, acho que o senhor terá que saber de tudo! Aquele velho decrépito do Hurstall deve ter nos ouvido, e eu sei que acabará lhe contando tudo, se é que já não contou. Nevile e eu tivemos uma briga, uma briga feia! Eu estava furiosa com ele! Subi e fechei a porta de comunicação, porque continuava com uma raiva danada!

— Entendo... Entendo — disse Battle complacente. — E qual foi o motivo da briga?

— E isso tem alguma importância? Ora, não me incomodo mesmo de contar. Nevile vem se comportando como um perfeito idiota, e é tudo culpa daquela mulher.

— Que mulher?

— Sua primeira esposa. Para começar, ela o persuadiu a vir até aqui.

— Quer dizer... encontrá-la?
— Sim. Nevile pensa que foi tudo ideia dele... Pobre inocente! Mas sei que não foi. Ele nunca pensou em tal coisa, até encontrá-la certo dia num parque, quando ela tentou persuadi-lo com essa ideia, fazendo-o acreditar que fosse sua. Ele pensa realmente que foi ideia dele, mas posso ver a mão de Audrey por trás disso tudo.
— Por que ela faria tal coisa? — indagou Battle.
— Porque ela queria fisgá-lo novamente? — Kay falava apressada, e sua respiração estava ofegante. — Ela nunca o perdoou por tê-la abandonado, e esta é a sua vingança. Fez com que ele providenciasse para que todos nos reuníssemos aqui, e desde então vem provocando-o. Tem feito isso desde que chegou. Ela é esperta: sabe como parecer patética e misteriosa. Há também outro homem na história, o Thomas Royde, um cachorro fiel, que sempre esteve apaixonado por ela. Pois bem, ela providenciou tudo para que ele também viesse para cá, e ao fingir que ia se casar com Thomas, deixou Nevile louco.

Parou ofegante de raiva.

— Creio que ele deveria ficar satisfeito ao saber que ela encontrará a felicidade com um velho amigo — apartou Battle.
— Satisfeito? Ele está é morrendo de ciúme!
— Sendo assim, ele deve gostar muito dela.
— Sim, ele gosta! — disse Kay amargamente. — Ela se encarregou disso!

Battle continuava a passar a mão no queixo, em dúvida.
— A senhora poderia ter se negado a vir para cá.
— Como poderia? Teria dado a impressão de que estava com ciúme.
— Bem, afinal de contas, a senhora estava, não estava?

Kay ficou ruborizada.
— Sim, sempre tive ciúme de Audrey. Desde o começo... ou melhor, quase desde o começo. Costumava sentir sua presença por toda a casa, como se o lugar fosse dela e não meu. Mudei toda a decoração, mas de nada adiantou. Continuei a sentir como se

houvesse um fantasma triste sempre rastejando à nossa volta. Eu sabia que Nevile sempre se preocupou, achando que a havíamos tratado muito mal. Não conseguia esquecê-la... Ela estava sempre lá... como um sentimento de reprovação no fundo de sua mente. Há pessoas assim, que parecem apagadas e insignificantes, mas que fazem com que sintamos sua presença.

Battle balançou a cabeça, pensativo.

— Bem, muito obrigado, sra. Strange. Por enquanto é só. Tivemos que lhe fazer todas essas perguntas, especialmente por ter seu marido herdado tanto dinheiro de Lady Tressilian... cinquenta mil libras...

— Tudo isso? Receberemos pelo testamento do velho Sir Matthew, não é?

— A senhora sabe tudo sobre a herança?

— Ah, sim! O que ele deixou deverá ser dividido entre Nevile e sua esposa. Não que eu esteja contente com a morte da velha, pelo contrário, não estou. É verdade que não gostava muito dela, provavelmente porque ela não gostava muito de mim, contudo é horrível imaginar que um ladrão tenha entrado e esmagado a sua cabeça.

Acabando de falar, se retirou. Battle olhou para Leach.

— O que achou dela? Eu direi que é um bocado bonita. O tipo de mulher que faz qualquer homem perder a cabeça.

Leach concordou.

— Entretanto não me parece ser uma dama — duvidou.

— Não há muitas delas hoje em dia — afirmou Battle. — Vamos ver agora a número um? Não, acho melhor que a próxima seja a srta. Aldin. Assim poderemos ter um ponto de vista imparcial quanto a esse problema matrimonial.

Mary Aldin entrou muito tranquila. Por baixo de sua aparente calma via-se preocupação em seus olhos.

Respondeu às perguntas de Leach com bastante clareza, confirmando o depoimento de Nevile. Tinha ido para a cama por volta das dez horas.

— O sr. Strange estava então com Lady Tressilian? — perguntou Leach.
— Sim. Pude ouvi-los falando.
— Falando, srta. Aldin, ou discutindo?
Ela corou, mas respondeu calmamente:
— Lady Tressilian apreciava uma discussão. Muitas vezes ela parecia mordaz, enquanto na realidade não era nada disso. Tinha tendência, também, a ser autoritária e dominadora, e há de convir que um homem não aceita isso com a mesma facilidade com que uma mulher o faz.
"Da mesma maneira que você!", pensou Battle.
Ele olhou para o seu rosto inteligente. Foi ela quem quebrou o silêncio.
— Não quero bancar a tola, mas me parece inacreditável... realmente inacreditável, que o senhor suspeite de alguém desta casa. Por que não poderia ser obra de um estranho?
— Por várias razões, srta. Aldin. Uma delas é que nada foi roubado, e nenhuma entrada, forçada. Não preciso lembrar-lhe a disposição da casa e do terreno. Do lado oeste há o penhasco íngreme em direção ao mar; ao sul fica o terreno com o muro e o mar lá embaixo; a leste, os jardins dão para a praia, mas são cercados por muros altos. As duas únicas saídas são uma pequena porta que dá para a estrada, mas que foi encontrada fechada pelo lado de dentro como de costume, e a porta principal da casa. Não nego que possam ter entrado com uma chave falsa, mas em minha opinião não foi isso o que aconteceu. Seja lá quem for o criminoso, sabia que Barrett costumava tomar chá de cássia toda noite, o que significa que só pode ser alguém desta casa. O taco de golfe foi retirado do armário que fica debaixo das escadas. Tenho certeza de que não foi um estranho, srta. Aldin!
— Não foi Nevile! Estou certa de que não foi ele!
— Por que está tão certa?
Desanimada, ela levantou as mãos.

— Porque ele nunca mataria uma velha indefesa. Não o Nevile!

— É. Não parece muito plausível — ponderou Battle. — A senhorita, entretanto, ficaria surpresa com o que as pessoas são capazes de fazer quando aparece um bom motivo. O sr. Strange pode ter precisado desesperadamente de dinheiro.

— Tenho certeza de que não. Ele não é uma pessoa extravagante. Nunca foi.

— Mas a sua esposa, sim.

— Kay? — E após alguns minutos de reflexão: — Sim, talvez... mas isso é ridículo. Garanto que atualmente a última coisa em que Nevile pensa é dinheiro.

O superintendente Battle pigarreou.

— Tinha outras preocupações, não é mesmo?

— Kay lhe contou? Tudo tem sido muito embaraçoso, porém nada tem a ver com esse terrível acontecimento.

— Provavelmente não. Mesmo assim, gostaria de ouvir a sua versão sobre o caso, srta. Aldin.

— Bem, como eu dizia, criou-se uma situação delicada. Seja lá de quem foi a ideia de...

Ele a interrompeu astutamente:

— Pelo que sei, a ideia foi do sr. Nevile.

— É o que ele diz.

— Mas a senhorita não acredita — afirmou Battle.

— Eu... não... não me parece próprio de Nevile. Sempre achei que alguém impingiu-lhe essa ideia.

— Talvez a sra. Audrey Strange?

— É incrível acharmos que Audrey tenha feito tal coisa.

— Nesse caso, quem mais poderia ser? — perguntou Battle.

Mary levantou os ombros, desarmada.

— Eu não sei. É simplesmente... estranho.

— Estranho — repetiu Battle pensativo. — Também acho muito estranho!

— Tudo tem sido estranho. Tenho uma sensação... não sei bem descrevê-la... É alguma coisa no ar. Uma ameaça!

— Todos tensos e nervosos?

— Sim. É isso. E todos nós sofremos as consequências. Até o sr. Latimer...

— Eu já ia lhe perguntar sobre ele. O que sabe a respeito do sr. Latimer, srta. Aldin?

— Bem, na verdade, pouco sei a respeito dele. É um amigo de Kay.

— Então, é amigo da sra. Strange? Os dois se conhecem há muito tempo?

— Sim, ela o conheceu antes de se casar.

— O sr. Strange gosta dele?

— Creio que bastante.

— Então não há nenhum problema? — perguntou sutilmente Battle.

— Certamente que não — respondeu Mary, rápida e enfática.

— Lady Tressilian gostava do sr. Latimer?

— Não muito.

Battle notou o tom de indiferença em sua voz e mudou de assunto.

— E Jane Barrett, a empregada, é digna de confiança?

— Sim! Completamente. Era muito dedicada a Lady Tressilian.

— Poderia considerar a possibilidade de Barrett assassinar sua patroa e dopar-se só para evitar que suspeitássemos dela?

— É claro que não. Por que faria isso? — espantou-se Mary.

— Como sabe, foi beneficiada com a herança.

— E eu também — disse Mary Aldin encarando-o.

— Sim, eu sei. Sabe quanto vai receber?

— O sr. Trelawny, que chegou agora, acabou de me informar.

— A senhorita não o sabia de antemão?

— Não. É claro que supunha que ela me deixaria alguma coisa. Como sabe, não tenho dinheiro suficiente para poder viver sem trabalhar. Achava que Lady Tressilian me deixaria uma renda de pelo menos cem libras por ano; entretanto, por ela ter alguns primos, não estava certa de como tencionava dispor do seu dinheiro. É evidente que eu sabia que a fortuna de Sir Matthew ficaria para Nevile e Audrey.

— Então ela não sabia quanto Lady Tressilian ia deixar para ela? — comentou Leach quando Mary Aldin se retirou. — Pelo menos é o que ela diz!

— É o que ela diz — repetiu Battle. — E agora interroguemos a primeira mulher do Barba Azul.

VII

Audrey usava um conjunto de lã cinza-claro, que a deixava com o mesmo aspecto fantasmagórico que Kay descrevera: "Um fantasma triste rondando pela casa."

Ela respondeu às perguntas com naturalidade e sem nenhum sinal de emoção.

Tinha ido se deitar às dez horas, a mesma hora que Mary Aldin. Não ouvira nada durante toda a noite.

— Desculpe-me pela intromissão em sua vida particular, mas poderia me explicar a razão da sua vinda a Gull's Point?

— Sempre venho nessa época. Esse ano meu ... meu ex-marido queria vir na mesma época, e por isso me perguntou se me incomodaria.

— Foi sugestão dele?
— Sim.
— Não foi sua?
— Não — respondeu categoricamente Audrey.
— Mas a senhora não concordou?

— Sim, concordei... não vi maneira de recusar.
— Por que não, sra. Strange?
— Não gosto de ser descortês.
— A senhora foi a parte injuriada? — perguntou Battle.
— Como disse?
— Foi a senhora quem pediu o divórcio?
— Sim.
— Sente pelo seu ex-marido algum rancor?
— Não. Nem um pouco.
— É muito generosa, sra. Strange.

Ela não respondeu. Ele tentou o silêncio, mas Audrey não era Kay para ser levada a falar. Poderia permanecer calada sem o menor sinal de inquietação. Battle considerou-se derrotado.

— Tem certeza de que a ideia desse... desse encontro não foi sua?
— Absoluta.
— Mantém relações amigáveis com a atual sra. Strange?
— Acho que ela não gosta muito de mim.
— E a senhora? Gosta dela?
— Sim. Acho-a muito bonita.
— Bem, obrigado. Acho que por enquanto é só.

Levantando-se, ela dirigiu-se para a porta. Logo depois, hesitando, voltou.

— Gostaria apenas de dizer... — falava nervosamente e depressa. — Os senhores acham que Nevile é o culpado... que a matou por causa do dinheiro. Tenho certeza de que não foi ele. Estivemos casados por oito anos, e sei como ele nunca ligou para dinheiro. Não posso imaginá-lo matando alguém por esse motivo! Sei que o que estou dizendo não tem muito valor... mas gostaria que acreditassem em mim.

Virou-se e saiu da sala.

— O que achou dela? — perguntou Leach. — Nunca vi ninguém tão... tão despida de emoção.

— Ela não demonstrou nenhuma, mas garanto que existe algo por debaixo daquela capa. Uma emoção muito forte, mas não sei qual é...

VIII

O último a ser interrogado foi Thomas Royde. Estava sério e formal, piscando um pouco como uma coruja.

Tinha vindo para casa, depois de oito anos na Malásia. Desde menino tinha o hábito de se hospedar em Gull's Point. A sra. Audrey Strange era uma prima distante e havia sido criada por sua família desde os nove anos de idade. Na noite anterior, tinha ido se deitar um pouco antes das onze. Ouvira Nevile sair por volta das 22h20, ou talvez um pouco mais tarde; e não escutara nada de estranho durante a noite. Já tinha se levantado e estava no jardim quando descobriram o corpo de Lady Tressilian. Ele era um madrugador.

Houve uma pausa.

— A srta. Aldin nos disse que havia um clima de tensão na casa. O senhor também notou?

— Não, acho que não. Não sou muito observador — respondeu Thomas.

"Está mentindo", pensou Battle. "Você observa tudo, diria até que muito mais do que os outros."

Não. Ele não achava que Nevile estivesse com problemas de dinheiro. Certamente não era o que parecia, apesar de pouco saber sobre os negócios do sr. Strange.

— Conhece bem a segunda sra. Strange?

— Conheci-a somente agora.

Battle deu sua última cartada:

— Como já deve saber, sr. Royde, encontramos não só as impressões digitais do sr. Nevile na arma do crime, como também sangue na manga do paletó que usou ontem à noite.

— Sim. Ele estava nos contando — murmurou Royde.

— Vou lhe perguntar francamente: acha que foi ele quem a matou?

Thomas Royde, que não gostava de ser apressado, esperou um pouco antes de responder.

— Não vejo por que está me perguntando isso. Isso não é problema meu, e sim seu. Porém acho muito improvável.

— Existe alguém que lhe pareça mais provável?

— A única pessoa que considero plausível não poderia tê-lo feito. Assim, o assunto está encerrado.

— E quem é essa pessoa? — indagou Battle.

— Não direi, pois é apenas minha opinião particular — afirmou Royde, decidido.

— É seu dever auxiliar a polícia.

— Sim, mas só com fatos concretos. Isso não é um fato, e sim uma ideia. E de qualquer modo teria sido impossível .

— Não conseguimos arrancar muita coisa dele — comentou Leach, depois da saída de Royde.

— É. Realmente não conseguimos. Ele tem algo em mente; alguma coisa bem definida, que eu gostaria de saber o que é. Esse é um crime muito peculiar, Jim.

Antes que Leach pudesse responder, o telefone tocou. Depois de ficar alguns minutos ouvindo, ele exclamou: "Ótimo", e desligou.

— O sangue no paletó é do mesmo grupo sanguíneo que o de Lady Tressilian — informou. — Parece que Nevile está em maus lençóis.

Battle tinha ido até a janela e olhava para fora, com bastante interesse.

— Lá fora está um jovem muito bonito — observou ele — e diria também que bastante perigoso. É pena que o sr. Latimer tenha estado em Easterhead Bay ontem à noite. Ele é o tipo de pessoa que esmagaria a cabeça da própria avó, se soubesse que com isso poderia tirar algum proveito.

— Bem. Não lhe cabe nenhuma parte da herança. A morte de Lady Tressilian não o beneficia de forma alguma.

O telefone tocou de novo.

— Droga de telefone! O que será agora? — impacientou-se Leach indo atendê-lo. — Alô? Ah!... É o senhor, doutor?... O quê?... Ela se recuperou?... O quê?... O quê?! Tio! Venha só ouvir isso.

Battle pegou o telefone e, como sempre, não havia nenhuma expressão em seu rosto.

— Chame o sr. Strange, Jim.

Quando Nevile entrou, Battle acabava de colocar o fone no gancho.

Pálido e exausto, ele olhava curioso para o superintendente da Scotland Yard, tentando adivinhar o que estava se passando por trás daquele rosto inexpressivo.

— Sr. Strange, conhece alguém que não goste do senhor?

Nevile negou com a cabeça.

— Tem certeza? — Battle foi incisivo. — Quero dizer, alguém que realmente não goste do senhor, alguém que o deteste?

— Não. É claro que não — sobressaltou-se Nevile.

— Pense, por favor. Não existe alguém que, de alguma forma, tenha sido ofendido pelo senhor?

Nevile ruborizou-se.

— Há apenas uma pessoa a quem eu magoei, mas ela não é do tipo que guarda rancor. A minha primeira esposa ficou muito magoada quando a deixei por outra mulher. Entretanto, posso garantir-lhe que ela não me odeia. Ela... Ela tem sido um anjo.

O superintendente debruçou-se na mesa.

— É um homem de sorte, sr. Nevile. Não digo que me agradassem as provas que o incriminavam, mas elas existiam. E, a não ser que os jurados gostassem muito da sua pessoa, elas seriam o suficiente para condená-lo.

— O senhor fala como se tudo já pertencesse ao passado.

— E assim o é! O senhor foi inocentado por pura sorte.

Nevile continuava a olhá-lo, sem entender nada.

— Depois que o senhor saiu do quarto de Lady Tressilian, ela tocou a campainha chamando a empregada. — Battle observava a maneira como Nevile assimilava o que era dito.

— Depois... então Barrett a viu... — surpreendeu-se Nevile.

— Sim — afirmou o superintendente. — Ela estava viva. E antes que fosse atender a sua patroa, ela o viu deixando a casa.

— Mas o taco... e minhas impressões digitais?...

— Ela não foi morta por aquele taco. Na ocasião, notei que o dr. Lazenby não queria aceitá-lo como a arma do crime. Ela foi atingida por algum outro objeto. O taco foi colocado, deliberadamente lá, para que as suspeitas recaíssem sobre o senhor. Deve ter sido alguém que ouviu a sua discussão e que o escolheu como a vítima perfeita. Ou, então, pode ter sido porque...

Parou e repetiu a pergunta:

— Quem o detesta nesta casa, sr. Nevile?

IX

— Tenho uma pergunta a lhe fazer, doutor — disse Battle.

Estavam agora na casa do médico, depois de terem ido ao hospital, onde tiveram uma breve conversa com Jane Barrett.

Apesar de fraca e exausta, ela foi bem clara em seu depoimento: já ia se deitar, depois de tomar o seu chá de cássia, quando ouviu a campainha tocar. Quando olhou o relógio, eram 22h25. Vestiu o roupão e desceu. Ao ouvir um barulho no saguão, debruçou-se no corrimão com curiosidade.

— Era o sr. Nevile preparando-se para sair. Estava apanhando a sua capa no cabide.

— Que terno ele usava?

— Um cinza listrado. Parecia muito preocupado e insatisfeito. Vestiu a capa de qualquer maneira, como se isso fosse o menos importante; saindo, batendo a porta logo em seguida. Entrei no quarto de Lady Tressilian. Coitada, estava muito sonolenta, e não conseguia se lembrar por que me havia chamado, o que já acontecera outras vezes. Mas, mesmo assim, ajeitei seus travesseiros, colocando-a em uma posição confortável.

— Ela parecia perturbada ou com medo de alguma coisa?

— Não. Apenas cansada. Eu também estava cansada, bocejando o tempo todo. Subi e fui direto para a cama.

Essa era a história de Barrett. Era impossível duvidar da sua genuína tristeza e horror diante da notícia da morte da sua patroa.

Foram para a casa de Lazenby, onde Battle comunicou que tinha uma pergunta a fazer.

— Pode fazê-la — consentiu Lazenby.

— A que horas acha que Lady Tressilian morreu?

— Já lhe disse. Entre as dez horas e a meia-noite.

— Eu sei. Mas o que estou querendo ouvir é a sua opinião pessoal.

— Quer uma opinião extraoficial?

— Sim — respondeu Battle categoricamente.

— Bem! Meus cálculos são de que foi por volta das onze horas.

— Era isso o que eu queria saber.

— Por quê? — intrigou-se Lazenby.

— Nunca fiquei satisfeito com a ideia de ela ter sido assassinada antes das 22h20. Veja bem: a essa hora os barbitúricos ainda não teriam feito efeito em Barrett. Isso prova que o crime estava preparado para ser cometido bem mais tarde. Eu ainda prefiro acreditar que foi à meia-noite.

— Pode ser. Onze horas é apenas uma suposição.

— Mas, definitivamente, não poderia ter sido depois da meia-noite? — insistiu Battle.

— Não.

— E depois das 2h30?

— Não! Isso nunca!

— Bem, sendo assim, parece que desta vez o Strange fica livre. Só me resta verificar os seus atos após a sua saída da casa. Se estiver falando a verdade, estará limpo, e teremos que procurar o criminoso entre os outros suspeitos.

— Entre os herdeiros? — sugeriu Leach.

— Talvez. Mas, de alguma forma, não creio que seja isso. Estou procurando uma pessoa com alguma anomalia.

— Anomalia?

— Sim. Uma anomalia sórdida — explicou Battle.

Ao saírem da casa do médico, foram até o local das barcas, que eram operadas por dois irmãos, Will e George Barnes. Os irmãos Barnes conheciam de vista todas as pessoas de Saltcreek, e a maior parte dos que vinham de Easterhead Bay. George afirmou de imediato que, na noite anterior, o sr. Strange de Gull's Point tinha atravessado na barca das 22h30. Não. Ele não trouxera o sr. Strange de volta. A última barca saíra de Easterhead à 1h30, e o sr. Strange não estava nela.

Battle perguntou se ele conhecia o sr. Latimer.

— Latimer? Latimer? Um jovem alto, bonitão, que costuma vir do hotel para Gull's Point? Sim, eu o conheço. Ontem à noite, entretanto, não o vi. Esta manhã ele atravessou conosco para Gull's Point, só voltando agora na última viagem.

Chegando ao Hotel Easterhead Bay, encontraram Latimer, que acabara de regressar. Estava muito ansioso para ajudar no que pudesse.

— Sim, o velho Nevile veio aqui ontem à noite, e parecia muito deprimido. Contou-me que tivera uma briga com a velha senhora. Soube depois que ele e Kay discutiram, mas isso, é claro, ele não me contou. De qualquer modo, estava bem desanimado, e parecia satisfeito em ter a minha companhia.

— Fui informado de que foi meio difícil para o sr. Nevile encontrá-lo.

— Não entendo por que, se eu estava na sala de estar — explicou Latimer. — Strange disse que me procurou, mas que não me viu. A verdade é que ele estava perturbado demais para se concentrar, ou eu mesmo posso ter saído por uns cinco minutos, para dar uma volta pelo jardim. Saio sempre que posso, pois há um cheiro muito desagradável neste hotel. Notei isso ontem à noite, no bar. Acho que é o esgoto. Nevile também sentiu o mesmo cheiro repulsivo. Pode ser até um rato morto debaixo do chão da sala de bilhar.

— Vocês jogaram bilhar, e depois?

— Conversamos e bebemos mais um pouco, até que Nevile percebeu que tinha perdido a última barca. Foi aí que me ofereci para levá-lo em meu carro, e, se estou certo, chegamos a Gull's Point por volta das 2h30.

— E o sr. Strange esteve em sua companhia durante toda a noite?

— Mas é claro! Pode perguntar a qualquer pessoa.

— Obrigado, sr. Latimer. Temos de ser muito cuidadosos.

Assim que deixaram o controlado e sorridente jovem, Leach perguntou:

— Onde está querendo chegar com todas essas minuciosas investigações a respeito do sr. Nevile?

Battle sorriu, e de repente Leach compreendeu tudo.

— Ora, veja, é o outro que você está inspecionando. Então é essa a ideia!

— Ainda é cedo para se ter ideias — afirmou Battle. — Tenho apenas que saber exatamente onde o sr. Latimer esteve ontem à noite. Só sabemos que das 23h15 à meia-noite ele estava com Nevile Strange. Mas onde esteve ele antes disso, para que o sr. Nevile não conseguisse encontrá-lo?

Com perseverança, continuaram investigando, interrogando os barmen, garçons e ascensoristas do hotel. Entre as nove e as dez horas, Latimer fora visto na sala de estar, e estivera no bar às 22h15. Mas entre esse horário e as 23h20, ele estivera singularmente desaparecido. Por fim, encontraram uma empregada que declarou que o sr. Latimer estivera "num dos escritórios menores com a sra. Beddoes, uma madame gorda do norte do país".

Pressionada quanto à hora, ela disse que devia ter sido por volta das onze horas.

— Bem, isso resolve tudo — concluiu Battle tristemente. — Ele estava mesmo aqui. Apenas não queria atrair atenção para sua gorda (e sem dúvida rica) amiga. Isso nos leva de volta aos outros: os criados, Kay Strange, Audrey Strange, Mary Aldin e Thomas Royde. É mais do que certo que uma dessas pessoas tenha matado a velha senhora, mas quem? Se pudéssemos descobrir a verdadeira arma do crime...

Ele parou e em seguida bateu com força na perna.

— Achei, Jim! Agora sei o que me fez lembrar de Hercule Poirot. Vamos almoçar rapidamente e voltar a Gull's Point, onde tenho algo a lhe mostrar.

X

Mary Aldin estava inquieta, entrando e saindo da casa; colhendo uma dália aqui e outra ali; arrumando os jarros de flores quase que mecanicamente.

Da biblioteca vinha um vago murmúrio de vozes. O sr. Trelawny estava lá com Nevile, enquanto Kay e Audrey não se encontravam por perto.

Mary retornou ao jardim. E, vendo Thomas Royde fumar tranquilamente, foi se juntar a ele.

— Oh, meu Deus! — suspirou aturdida, sentando-se a seu lado.

— Algum problema? — perguntou Thomas.

Mary riu. Havia uma ponta de histeria em seu riso.

— Só mesmo você diria uma coisa dessas. Com um assassinato em casa, e você apenas pergunta: "Algum problema?"

Parecendo um pouco surpreso, Thomas disse:

— Estava me referindo a alguma novidade especial.

— Ah, eu sei o que você estava querendo dizer. É realmente um grande alívio encontrar alguém tão magnificamente imperturbável como você!

— Não adianta ficar nervoso, adianta?

— Não. Não. Você é profundamente sensato. O que me intriga é saber como consegue ser assim.

— Bem, suponho que seja porque sou um estranho.

— Bem isso é verdade, é claro. Você não pode sentir o alívio que nós sentimos, depois que soubemos que Nevile foi inocentado.

— Mas, mesmo assim, é claro que estou satisfeito — falou Royde.

— Ele esteve por um fio. Se Camilla não tivesse tocado a campainha para chamar Barrett depois que Nevile saiu...

Thomas terminou a frase que ela deixara incompleta:

— Nevile estaria perdido! — Isso foi dito com certa satisfação, ao mesmo tempo em que balançava a cabeça com um pequeno sorriso ao notar o olhar reprovador de Mary. — Não pense que sou cruel, mas, agora que a situação de Nevile foi esclarecida, não posso deixar de sentir um certo prazer por saber que ele se abalou com tudo isso. Ele sempre foi tão presunçoso.

— Ele não é nada disso, Thomas — disse Mary.

— É. Talvez seja por causa do seu jeito. De qualquer maneira, ele parecia um bocado assustado hoje de manhã.

— Que maldade, Thomas! — irritou-se ela.

— Bem. Agora não há mais perigo. Sabe, Mary, até mesmo nesse caso Nevile teve uma sorte danada. Qualquer outro sujeito que tivesse contra si todas aquelas provas acumuladas não teria nenhuma chance.

— Não diga isso. Gosto de pensar que os inocentes são... protegidos.

— Você gosta, minha querida? — Sua voz era amável.

— Thomas, estou muito preocupada. Preocupada e assustada.

— Com o quê?

— É a respeito do sr. Treves.

Thomas deixou cair o cachimbo nas pedras. Sua voz mudou quando se abaixou para apanhá-lo.

— Sobre o que você está falando?

— Lembra aquela noite em que ele veio aqui... e aquela história que contou sobre um pequeno assassino? Estive pensando, Thomas... Será que era apenas uma história, ou ele a contou de propósito?

— Você está querendo me dizer que ele visava um dos presentes?

— Sim — murmurou Mary.

— Eu também estive pensando — comentou Thomas calmamente. — Na realidade, estava pensando sobre isso agora mesmo, quando você chegou.

— Estive tentando me lembrar... Ele contou a história tão deliberadamente. Foi como se estivesse forçando o assunto na conversa. Disse ainda que reconheceria a pessoa em qualquer lugar. Ele salientou bem essa parte, como se já a tivesse reconhecido.

— Hum... Já pensei nisso tudo — disse Thomas.

— Mas por que ele faria isso? Qual seria o seu objetivo?

— Imagino que tenha sido como uma espécie de advertência, e não como algum tipo de experiência.

— Acha que o sr. Treves sabia que Camilla seria assassinada? — espantou-se Mary.

— Não. Isso seria fantástico demais. Pode ter sido apenas uma advertência geral.

— Acha que eu deveria contar isso à polícia?

— Acho que não — respondeu Thomas, depois de refletir bastante. — Não me parece importante. Não é como se o sr. Treves estivesse vivo e pudesse informar-lhes alguma coisa.

— Não. Ele está morto! — afirmou Mary estremecendo. — A maneira como ele morreu, Thomas, foi tão estranha.

— Foi um ataque do coração. Ele tinha problemas cardíacos.

— Refiro-me ao fato curioso de o elevador estar quebrado. Não gostei nada daquilo.

— Eu também não — reforçou Thomas Royde.

XI

O superintendente Battle deu uma olhada geral no quarto. A única coisa que mudara era a cama que tinha sido feita. No mais, continuava tão arrumado quanto antes.

— É isso — disse o superintendente Battle, apontando para a antiquada grade da lareira. — Vê alguma coisa de estranho naquela grade?

— Está precisando de limpeza — observou Jim Leach. — Está bem conservada. Não vejo nada de anormal, exceto... Sim! A esfera da extremidade esquerda está mais brilhante do que a da direita.

— Foi isso que me fez lembrar de Hercule Poirot — explicou Battle. — Você conhece a sua mania pelas coisas que não estão em perfeita simetria. Acho que, inconscientemente, eu pensei: "Isso teria chamado a atenção do velho Poirot", e então comecei a falar sobre ele. Trouxe seu equipamento de impressões digitais, Jones? Vamos dar uma olhada nessas esferas.

— Há impressões na esfera do lado direito, senhor, mas nenhuma na do lado esquerdo.

— Então é a esfera esquerda que queremos. Aquelas outras impressões são da empregada, quando ela fez a limpeza pela última vez. A esfera da esquerda já havia sido limpa.

— Encontrei na cesta de lixo alguns papéis amassados — informou Jones. — Não pensei que pudessem ter qualquer importância.

— É porque na ocasião você não sabia o que estava procurando. Entretanto, aposto como neste momento o que você mais gostaria é de desatarraxar essa esfera... sim, foi o que pensei.

Jones segurou a esfera.

— É bem pesada — falou ele, avaliando o peso com as mãos.

— Tem algo escuro no parafuso — reparou Leach.

— Provavelmente é sangue — disse Battle. — A pessoa limpou a esfera cuidadosamente, entretanto não notou essa pequena mancha no parafuso. Aposto o que você quiser como essa foi a arma que esmagou a cabeça de Lady Tressilian. Contudo, ainda há muito mais a se descobrir. Você, Jones, fica encarregado de dar uma nova busca pela casa. Só que, desta vez, você saberá exatamente o que procura.

Deu mais algumas instruções detalhadas e foi olhar na janela.

— Há alguma coisa amarela presa nas plantas. Aquilo pode ser mais uma peça do quebra-cabeça. E é provável que seja.

XII

Ao atravessar o saguão, o superintendente Battle foi interpelado por Mary Aldin.

— Poderia falar-lhe um minuto, superintendente?

— Mas é claro, srta. Aldin. Entremos aqui. — E abriu a porta da sala de jantar.

— Gostaria de lhe fazer uma pergunta. Certamente o senhor não continua a acreditar que aquele... aquele crime horrível tenha sido cometido por um de nós. Só pode ter sido um estranho! Um maníaco!

— Nesse ponto a senhorita não deve estar enganada, pois creio que essa é a melhor palavra para descrever o criminoso. Mas a verdade é que o crime não foi cometido por um estranho.

— Quer dizer que alguém nesta casa é... é louco? — perguntou ela com os olhos arregalados.

— Se a senhorita está pensando em alguém com a boca espumante e olhos revirados, não é bem isso. Alguns dos mais perigosos criminosos parecem tão sadios quanto qualquer um de nós. Normalmente trata-se de uma obsessão, como se fosse uma ideia que ficasse remoendo no pensamento, e que aos poucos o vai corrompendo. Pessoas patéticas e racionais vêm a nós, para nos contar como estão sendo perseguidas e como os seus atos e movimentos são espionados. Algumas vezes chegamos até a acreditar que é tudo verdade.

— Asseguro-lhe que aqui ninguém tem mania de perseguição.

— Citei apenas um exemplo. Há no entanto outras formas de insanidade. Minha opinião é de que quem cometeu esse crime estava totalmente dominado por uma ideia fixa. Uma ideia que foi se desenvolvendo até ter a máxima importância.

Mary estremeceu e disse:

— Creio que há algo que o senhor deveria saber.

Ela contou, de um modo claro e sucinto, a visita do sr. Treves e a história que ele havia contado. O superintendente Battle mostrava-se profundamente interessado.

— Ele reconheceu essa pessoa? Por acaso... era homem ou mulher?

— Eu achei que a história era sobre um menino, mas a verdade é que ele não afirmou nada... Aliás, estou me lembrando agora de que ele falou claramente que não iria especificar nem o sexo, nem a idade.
— É mesmo? Isso é muito significativo. E disse também que havia uma peculiaridade física, que faria com que ele reconhecesse essa criança em qualquer lugar?
— Sim — respondeu ela.
— Talvez uma cicatriz. Por acaso, alguém aqui tem alguma cicatriz? — indagou Battle.
Ele percebeu a hesitação de Mary Aldin antes de responder:
— Não que eu tenha notado.
— Ora, srta. Aldin — ele sorriu —, é evidente que a senhorita notou. É muita ingenuidade sua achar que eu não seria capaz de notá-la também, não acha?
— O senhor está enganado!
Ele pôde observar o quanto ela estava assustada. Obviamente as suas palavras tinham produzido uma desagradável sucessão de pensamentos. Ele desejaria saber qual era, mas a sua experiência lhe deixava ciente de que pressioná-la, naquele momento, não levaria a nada.
Ele voltou ao assunto do velho sr. Treves. Mary narrou o fato trágico ocorrido naquela noite.
Battle interrogou-a detalhadamente. Ao terminar, comentou:
— Isso é novo para mim. Nunca me deparei com nada igual.
— O que quer dizer?
— Nunca tomei conhecimento de um assassinato cometido pelo simples ato de se pendurar um aviso na porta do elevador.
— O senhor não acha realmente que... — ela falou horrorizada.
— Que foi assassinato? É claro que foi! Um crime rápido e ligeiro. É lógico que poderia ter falhado... mas isso não aconteceu.
— Apenas porque o sr. Treves sabia.

— Sim. Ele poderia fazer com que a nossa atenção se voltasse para um dos ocupantes da casa. Do jeito que aconteceu, começamos no escuro. No entanto, já temos um vislumbre de luz, e a cada minuto que passa o caso se esclarece mais e mais. Digo-lhe uma coisa, srta. Aldin, esse crime foi cuidadosamente planejado em seus mínimos detalhes. Quero alertá-la: não deixe ninguém saber o que me contou. Isso é muito importante. Por favor, não comente com ninguém.

Apesar de meio confusa, Mary Aldin concordou com a cabeça.

O superintendente Battle saiu da sala e encaminhou-se para fazer o que deveria ter feito, se não fosse a interrupção de Mary. Era um homem metódico e que desejava certas informações. Uma nova e promissora pista, por mais tentadora que pudesse ser, não o distrairia do cumprimento ordenado de suas obrigações. Bateu na porta da biblioteca, e Nevile Strange respondeu:

— Entre.

Battle foi apresentado ao sr. Trelawny, um homem alto, de aparência distinta e olhos penetrantes.

— Desculpe-me se os estou interrompendo — justificou-se o superintendente Battle —, porém há uma coisa que ainda não está esclarecida: o sr. Strange herdará a metade da fortuna do falecido Sir Matthew. Quem receberá a outra metade?

Nevile pareceu surpreso.

— Eu já lhe disse. É a minha esposa.

— Sim. Mas qual delas, sr. Strange?

— Ah, entendo. Desculpe-me se me expressei mal. O dinheiro vai para Audrey, porque na ocasião em que o testamento foi feito era ela a minha esposa. Está correto, sr. Trelawny?

O advogado concordou.

— O testamento é bem claro. A herança para ser dividida entre o tutelado de Sir Matthew, Nevile Henry Strange, e sua esposa, Audrey Elizabeth Strange, nascida Standish. O divórcio não altera nada.

— Bem, agora está esclarecido. A sra. Audrey Strange já está ciente desses fatos?

— Mas é óbvio — assegurou o sr. Trelawny.

— E quanto à atual sra. Strange?

— Kay? — Nevile parecia ligeiramente surpreso. — Suponho que sim! Pelo menos... nunca falamos muito sobre esse assunto.

— Então houve um mal-entendido — disse Battle. — A sra. Kay pensa que, com a morte de Lady Tressilian, o dinheiro ficará para o senhor e para ela, por ser a sua atual esposa. Pelo menos, foi isso que ela deu a entender nesta manhã. Sendo assim, resolvi vir aqui para descobrir qual é a verdadeira situação.

— É incrível! — comentou Nevile. — Entretanto, imagino que isso possa ter acontecido facilmente. Pensando bem, agora me lembro de ela ter dito uma ou duas vezes: "Quando Camilla morrer, receberemos aquele dinheiro", mas naturalmente imaginava que ela se referia a nós dois, só levando em conta a minha parte na herança.

— É espantoso — afirmou Battle — o número de mal-entendidos que pode existir, mesmo entre duas pessoas que discutam um certo assunto com bastante frequência: cada uma delas entende o que melhor lhe convém, sem que o outro desconfie de qualquer disparidade de pensamento.

— É. Suponho que sim — disse Nevile, não parecendo muito interessado. — De qualquer forma, nesse caso, isso não tem muita importância, porque nós realmente não precisamos de dinheiro. Fico muito satisfeito por Audrey. Ela tem passado por dificuldades, e esse testamento fará uma grande diferença para ela.

— Mas é certo que, ao ser discutido o divórcio, uma pensão tenha sido estabelecida, não?

Nevile, ruborizando, falou com a voz constrangida:

— Existe uma coisa chamada orgulho, superintendente. Audrey sempre se recusou a tocar em um centavo da pensão que lhe enviava.

— Uma pensão muito generosa — acrescentou o sr. Trelawny. — Mas, mesmo assim, a sra. Audrey Strange sempre devolvia o dinheiro.

— Muito interessante — comentou Battle, retirando-se antes que pudessem lhe pedir qualquer explicação sobre o seu comentário.

Foi ao encontro de seu sobrinho.

— Aparentemente — comentou ele —, cada uma das pessoas envolvidas nesse caso tem um bom motivo monetário: Nevile e Audrey Strange receberão cinquenta mil libras cada um; Kay Strange pensa que tem direito a cinquenta mil; Mary Aldin ficará com uma renda que lhe possibilitará viver sem nunca mais ter que trabalhar. Quanto a Thomas Royde, sou obrigado a confessar que é o único que nada ganhará. Entretanto, podemos incluir Hurstall e até mesmo Barrett, se admitirmos a hipótese de que ela tenha se arriscado a morrer para evitar suspeitas. Sim, como eu já disse, não faltam motivos levados pelo dinheiro; apesar de achar que ele nada tem a ver com o crime. Esse é um típico assassinato movido por puro ódio. E se não aparecer ninguém para atrapalhar o meu trabalho, vou pegar a pessoa culpada!

Mais tarde, ele ficou imaginando por que teria colocado aquela frase em sua cabeça.

Andrew MacWhirter havia chegado em Easterhead Bay no sábado anterior.

XIII

Andrew MacWhirter estava sentado no terraço do Hotel Easterhead Bay, olhando fixamente para o outro lado do rio onde ficava a sombria elevação do Stark Head. No momento, estava ocupado fazendo um cuidadoso levantamento de seus pensamentos e emoções.

Ali, sete meses atrás, ele atentara contra a própria vida. O acaso, apenas o acaso, tinha intervindo. Estaria ele grato por isso? Ele decidiu orgulhosamente que não. Era verdade que no momento presente não sentia a menor vontade de se matar. Essa fase tinha acabado para sempre. Agora estava disposto a cumprir a tarefa de viver, não com entusiasmo ou mesmo prazer, mas apenas com o metódico espírito do dia a dia. Ninguém pode, e isso ele admitia, tirar a própria vida a sangue-frio. Terá de haver um estímulo extra como o desespero, a tristeza ou a paixão. Não se pode cometer suicídio meramente por sentir que a vida é uma triste sucessão de acontecimentos desinteressantes.

Ele supunha que agora poderia ser considerado um homem de bastante sorte. O destino, depois de ter se mostrado adverso, agora lhe sorria. Ele, porém, não estava com ânimo para sorrir de volta. Seu senso de humor foi revitalizado com a lembrança da entrevista para a qual havia sido convocado por aquele rico e excêntrico nobre, Lord Cornelly.

— Você é o MacWhirter? Era você quem estava com Herbert Clay, não? Clay teve sua carteira de motorista apreendida porque você se negou a dizer que ele estava dirigindo a quarenta quilômetros por hora. Certa noite, quando nos contou sobre o incidente, ele estava lívido. "Maldito escocês teimoso!", disse-nos ele. E então pensei comigo mesmo que era esse tipo de sujeito que eu queria: um homem que não se deixa subornar. Comigo, você não terá que mentir, porque não é assim que trabalho. Eu vivo à cata de homens honestos... E como existem poucos por aí!

O nobre soltara uma gargalhada, e seu rosto astuto ganhara um aspecto alegre e jovial. MacWhirter permanecera indiferente, não se divertindo nem um pouco.

Porém havia conseguido um trabalho, um bom trabalho, e seu futuro estava assegurado. Dentro de uma semana ele deixaria a Inglaterra rumo à América do Sul.

Não sabia bem por que escolhera aquele lugar para passar seus últimos dias de lazer. Só sabia que alguma coisa o arrastara até ali. Talvez o desejo de se pôr à prova, de ver se em seu coração ainda havia algum vestígio do antigo desespero.

Mona? Atualmente ele pouco se importava. Ela estava casada com outro homem. Certo dia haviam se cruzado na rua, sem que ele sentisse qualquer emoção. Ainda podia lembrar sua tristeza e amargura quando ela o abandonara, mas agora isso tudo pertencia ao passado.

Ele foi despertado de seus pensamentos pelo impacto de um cachorro molhado e a agitação de sua nova amiga de 13 anos, Diana Brinton.

— Ah, saia daí, Don. Venha! Não é horrível? Ele se esfregou lá na praia, em algum peixe ou coisa parecida. E pelo jeito o peixe estava podre.

O nariz de MacWhirter confirmou essa hipótese.

— O peixe estava preso entre as pedras — explicou a menina Brinton. — Levei Don até o mar e tentei lavá-lo, mas parece que não adiantou nada.

MacWhirter concordou. Don, um terrier de pelo cinzento e temperamento amigável e amoroso, parecia magoado com a recente atitude de seus amigos de mantê-lo à distância.

— A água do mar não serve para isso. A única coisa que resolve é água quente e sabão — observou MacWhirter.

— Eu sei. Porém em um hotel isso não é lá muito fácil. Não temos banheiro privativo.

Levando Don pela coleira, MacWhirter e Diana acabaram entrando, sorrateiramente, pela porta lateral, conduzindo-o clandestinamente para o banheiro de MacWhirter. Fizeram uma limpeza completa. Tanto ele quanto a menina ficaram ensopados. Quando tudo terminou, Don estava muito triste.

Outra vez esse cheiro horrível de sabonete... e logo agora que ele encontrara um perfume realmente agradável, capaz de fazer inveja a qualquer um. Bem, era sempre a mesma coisa com os humanos... Eles não tinham o sentido do olfato aguçado.

Esse pequeno incidente deixara MacWhirter mais animado. Pegou o ônibus para Saltington, onde havia deixado um terno na lavanderia.

A moça encarregada da lavanderia 24 horas olhou-o com uma expressão vazia.

— MacWhirter, o seu nome? Receio que a roupa não esteja pronta.

Mas já deveria estar. Haviam-no prometido para ontem e, mesmo assim, já se teriam passado 48 horas, e não 24. Uma mulher teria dito tudo isso, entretanto ele apenas franziu a testa.

— Ainda não houve tempo para ficar pronta — disse a moça, sorrindo com indiferença.

— Conversa fiada!

A moça parou de sorrir e falou com rispidez:

— Seja como for, não está pronta!

— Então vou levar agora mesmo, do jeito que estiver — retrucou MacWhirter.

— Ainda nem começamos o serviço — preveniu-o a garota.

— Vou levar assim mesmo.

— Talvez possa ficar pronto amanhã... como favor especial.

— Não tenho o hábito de pedir favores especiais. Só quero que me entregue o terno, por favor.

Lançando-lhe um olhar mal-humorado, a moça dirigiu-se à sala dos fundos. Voltou com um embrulho malfeito que empurrou para o outro lado do balcão.

MacWhirter o apanhou e saiu.

Ele sentiu como se tivesse conseguido uma vitória. Era um tanto ridículo, na verdade. Apenas significava que ele teria de mandar o terno para outro lugar!

Chegando ao hotel, jogou o embrulho em cima da cama, extremamente aborrecido. Talvez pudesse ser lavado e passado lá mesmo. Na verdade, não estava tão sujo... Quem sabe nem precisasse ser lavado?

Ao desfazer o embrulho, apareceu em seu rosto uma expressão de aborrecimento. Realmente, a lavanderia 24 horas era ineficiente demais para ser descrita. Aquele não era o seu terno. Não era nem da mesma cor! O dele era azul-marinho. O serviço era confuso e ineficaz!

Olhou irritado para a etiqueta com o nome de MacWhirter. Seria um outro MacWhirter, ou uma estúpida troca de etiquetas?

Olhando contrariado para o amontoado de roupas amarrotadas, sentiu, repentinamente, um odor estranho. Certamente ele conhecia aquele cheiro, um cheiro desagradável... ligado de alguma forma a um cachorro. Sim, era isso! Diana e seu cachorro. Era sem dúvida o mau cheiro do peixe podre.

Curvando-se, ele examinou o terno. No ombro do paletó, havia um pequeno pedaço de pano desbotado. No ombro...

"Isso", pensou MacWhirter, "é realmente muito curioso...".

De qualquer modo, no dia seguinte, teria uma conversa com a moça da lavanderia, que por sinal tinha uma péssima administração.

XIV

Depois do jantar, ele saiu do hotel e andou até as barcas. Era uma noite clara, apesar de fria, com um vento cortante, antecipando o inverno. O verão acabara.

MacWhirter atravessou de barca até a margem de Saltcreek. Aquela era a segunda vez que voltava a Stark Head, e, mesmo assim, o lugar exercia uma espécie de fascínio sobre ele. Subiu vagarosamente o morro, passando pelo Hotel Balmoral Court.

Adiante, viu uma grande casa na beira de um penhasco, onde leu um nome no portão: Gull's Point.

É claro! Fora ali que a velha senhora havia sido assassinada. No hotel comentaram muito sobre o caso: a camareira insistia em lhe contar tudo o que sabia, e os jornais deram grande destaque ao assunto, o que tinha lhe desagradado, pois preferia ler notícias de interesse geral, e não sobre crimes.

Prosseguiu seu caminho. Descendo novamente o morro, dirigiu-se até a margem de uma pequena praia, onde havia algumas cabanas antigas, as quais tinham sido modernizadas. Em seguida tornou a subir até o final do caminho e, exausto, tomou o atalho que o levaria a Stark Head.

Stark Head era sombrio e misterioso. MacWhirter ficou parado à beira do penhasco olhando para o mar. Fora dessa mesma forma que ele ficara naquela outra noite. Tentou relembrar alguns dos sentimentos que tivera então: o desespero, a raiva, a exaustão, o desejo de se ver livre de tudo. No entanto, não havia mais nada para ser relembrado. Agora, tudo aquilo pertencia ao passado. Ficara apenas uma raiva profunda: preso naquela árvore, salvo pelos guardas, tratado no hospital como uma criança malcriada e uma série de indignidades e afrontas. Por que não o deixaram em paz? Ele teria preferido mil vezes se livrar de tudo; e ainda pensava assim. A única coisa que perdera fora a impetuosidade necessária.

Naquela época, como lhe doía pensar em Mona! Atualmente, porém, conseguia se lembrar dela com muita tranquilidade. Ela sempre fora muito tola: era facilmente envolvida por qualquer pessoa que soubesse adulá-la e cortejá-la. Era muito bonita, realmente muito bonita, mas nada inteligente. Não era o tipo de mulher com quem ele sonhara um dia.

Mas aquilo era a beleza, é claro... A imagem vaga e fantasiosa de uma mulher, com sua roupa branca esvoaçante, correndo pela noite... algo como a figura de um navio, porém não tão bravia... nem tão sólida...

E então, mais que de repente, o incrível aconteceu! Dentro da noite, surgiu uma figura correndo. Por um momento, ela não estava lá... e no momento seguinte, lá estava ela... uma figura branca correndo... correndo em direção à beira do penhasco. Uma figura bonita e desesperada, sendo levada à destruição, perseguida pelas fúrias! Correndo num desespero terrível... Ele conhecia aquele desespero. Ele sabia o que significava...

Com um salto brusco, ele saiu das sombras e conseguiu segurá-la no exato momento em que ela ia pular!

— Não! Você não vai fazer isso... — condenou-a com firmeza.

Era como se ele estivesse segurando um pássaro. Ela se debateu... se debateu silenciosamente, e então, novamente como um pássaro, ficou completamente imóvel.

MacWhirter exclamou ansioso:

— Não se mate! Nada vale isso. Nada! Mesmo que você esteja desesperadamente infeliz...

Ela emitiu um som. Era talvez como o riso de um fantasma distante.

— Você não é infeliz? Então qual é o seu problema? — perguntou bruscamente.

Ela respondeu de imediato, com um sussurro:

— Medo!

— Medo? — Ele ficou tão atônito que a soltou, dando um passo para trás a fim de vê-la melhor.

Compreendeu então a veracidade de suas palavras. Foi o medo que tinha colocado aquela premência em seus passos. Era o medo que fazia com que seu pequeno e inteligente rosto branco estivesse vazio e aparvalhado. Era o medo que arregalava aqueles olhos.

— De que você tem medo? — perguntou ele, incrédulo.

Ela lhe respondeu tão baixo que ele mal pôde ouvir:

— Tenho medo de ser enforcada...

Sim. Fora isso mesmo o que ela dissera. Ele ficou encarando-a fixamente e, em seguida, desviou o olhar para a beira do penhasco.

— Então é por isso?
— Sim. Uma morte rápida em vez de... — Ela fechou os olhos e estremeceu. Continuou tremendo.

De uma forma lógica, MacWhirter juntava as peças em seu cérebro, como num quebra-cabeça. Finalmente ele falou:

— Lady Tressilian? A velha senhora que foi assassinada? — Em seguida, falou acusador: — A senhora deve ser a sra. Strange... a primeira sra. Strange.

Ainda tremendo, ela concordou com a cabeça.

Com a voz calma e cuidadosa, MacWhirter continuou, tentando se lembrar de tudo o que ouvira. Agora os rumores tomavam forma.

— Eles detiveram seu marido, não é verdade? Havia muitas provas contra ele, mas aí então descobriram que tinham sido forjadas por alguém que...

Calando-se, ele a encarou. Ela parara de tremer. Estava imóvel, olhando-o como uma criança dócil. MacWhirter achou a sua atitude profundamente comovente.

Ele continuou a falar:

— Eu entendo... Sim, eu entendo o que aconteceu... Ele a abandonou por outra mulher, não foi?... . E você estava apaixonada por ele... Foi por isso... — E fez uma pausa. — Eu compreendo. Minha mulher também me deixou por outro homem...

Repentinamente ela estendeu os braços e começou a gaguejar desesperada:

— N... Não é... n-n-nada disso. N... não é...

Com a voz firme e autoritária, ele a fez calar.

— Vá para casa. Não precisa mais ter medo, está me ouvindo? Cuidarei para que você não seja enforcada!

XV

Mary Aldin estava deitada no sofá da sala de visitas. Sentia-se completamente exausta, e a cabeça lhe doía.

O inquérito acontecera no dia anterior, e após as formalidades de identificação, ficara adiado por uma semana.

O funeral de Lady Tressilian seria no dia seguinte. Audrey e Kay tinham ido de carro a Saltington a fim de providenciar algumas roupas para o luto. Ted Latimer as acompanhara. Nevile e Thomas tinham saído para dar uma volta. Sendo assim, à exceção dos empregados, Mary estava sozinha em casa.

O superintendente Battle e o inspetor Leach não haviam aparecido, o que também era um alívio. Parecia que, com a ausência deles, uma sombra sumira. Eles haviam sido bastante educados, e é verdade que até bem agradáveis. Contudo, as perguntas incessantes e todas aquelas investigações de cada fato eram o tipo de coisa que arrasaria com os nervos de qualquer um. Agora, o superintendente de fisionomia indecifrável já deveria saber de cada incidente, cada palavra e até cada gesto dos últimos dez dias. Agora, com a sua, ausência, havia paz. Assim, Mary permitiu-se relaxar. Ela iria esquecer tudo... tudo. Apenas recostar-se, sem pensar em nada.

— Perdão, senhora... — interrompeu-lhe uma voz.

Era Hurstall, à porta, parecendo desculpar-se.

— O que é, Hurstall?

— Um cavalheiro deseja vê-la. Levei-o para o escritório.

Mary olhou-o surpresa e um tanto aborrecida.

— Quem é?

— Apresentou-se como MacWhirter, senhora.

— Não o conheço — estranhou ela.

— Não, senhora.

— Deve ser um repórter. Não deveria tê-lo deixado entrar, Hurstall.

— Não creio que seja um repórter, senhora. Acho que é um amigo da sra. Audrey. — E pigarreou.

— Bem, assim é diferente.

Sentindo-se bastante cansada, Mary, ajeitando os cabelos, atravessou o saguão em direção ao pequeno escritório. Chegando lá, ficou um tanto perplexa quando o homem alto que estava parado à janela se virou, pois não parecia em nada com um amigo de Audrey.

Mesmo assim ela lhe falou amavelmente:

— Sinto muito, mas a sra. Strange não está. O senhor queria vê-la?

— A senhorita deve ser Mary Aldin. — E examinou-a, pensativo.

— Sim, sou eu.

— Acredito que a senhorita também possa me ajudar. Preciso ver se há alguma corda por aqui.

— Corda? — exclamou ela extremamente intrigada.

— Sim, uma corda! Tem ideia de onde possa estar guardada?

Mais tarde Mary concluiria que devia estar sob o efeito de algum tipo de hipnose. Se aquele estranho homem tivesse dado qualquer explicação, talvez ela tivesse resistido. Entretanto, Andrew MacWhirter, incapaz de pensar em uma explicação plausível, limitou-se simplesmente a dizer o que queria.

De modo que agora ela se encontrava um tanto aturdida, conduzindo-o à procura da tal corda.

— Que tipo de corda o senhor está procurando? — perguntou ela.

— Serve qualquer uma — respondeu ele.

— Talvez lá no depósito...

— Vamos até lá? — pediu MacWhirter.

Ela o conduziu ao local. Lá, encontraram não só um pedaço de corda trançada, mas também um tipo de barbante mais grosso. No entanto, isso não o agradou. O que ele queria era uma corda... um bom pedaço de corda...

— Há um outro pequeno depósito lá em cima no sótão — disse Mary hesitante.
— É! Talvez esteja lá!
Entraram na casa e subiram as escadas. Mary abriu a porta do depósito, e MacWhirter, olhando para dentro, soltou um curioso suspiro de contentamento.
— Lá está ela! — exclamou ele.
Em um baú, junto com um velho equipamento de pesca e algumas almofadas comidas por traças, estava um grande rolo de corda. Segurou o braço de Mary, impelindo-a gentilmente para frente, de modo que pudessem ver melhor a corda. Pegando-a, MacWhirter disse:
— Quero que guarde isto muito bem na sua memória. A senhorita pode observar que o depósito inteiro está coberto de poeira... tudo... menos esta corda. Pode até segurar para comprovar.
— Está um pouco úmida! — comentou ela, admirada.
— É isso mesmo — confirmou ele.
Andrew se virou para sair.
— Mas e a corda? Pensei que a quisesse — surpreendeu-se Mary.
— Eu só queria ter certeza de que estava aqui. — E sorriu. — Apenas isso. A senhorita se incomodaria de trancar a porta e retirar a chave? Obrigado. Eu ficaria muito agradecido se a entregasse ao superintendente Battle ou ao inspetor Leach. Com eles, ela estaria mais bem guardada.
Enquanto desciam as escadas, Mary fez um esforço para se recobrar. Ao chegarem ao saguão principal, ela protestou:
— Mas, realmente, eu não estou compreendendo nada...
— Não há necessidade disso — retrucou ele com firmeza. Segurou a mão dela, apertando-a amigavelmente. — Estou muito grato pela sua cooperação.
Acabando de falar, saiu apressadamente pela porta da frente. Mary ficou imaginando se não havia sonhado!

Nevile e Thomas chegaram logo em seguida, e pouco depois o carro voltava trazendo Kay e Ted. Mary Aldin sentiu inveja ao vê-los tão alegres. Estavam rindo e tagarelando. "Afinal de contas, por que não?", pensou ela. Camilla Tressilian nada significava para Kay, e todo esse acontecimento trágico era demasiado para uma jovem cheia de vida.

Tinham acabado de almoçar quando a polícia chegou. Hurstall parecia um tanto assustado ao anunciar que o superintendente Battle e o inspetor Leach aguardavam na sala de visitas.

Com bastante cordialidade, o superintendente os cumprimentou.

— Espero não estar incomodando — desculpou-se. — Porém preciso esclarecer um ou dois assuntos. Por exemplo: a quem pertence esta luva?

Mostrou uma pequena luva de camurça amarela e, dirigindo-se a Audrey, perguntou:

— É sua, sra. Strange?
— Não... Não é minha.
— Srta. Aldin?
— Acho que não. Não tenho nenhuma dessa cor.
— Posso ver? — perguntou Kay, estendendo a mão. — Não. Não é minha.
— Por favor, poderia calçá-la?

Kay tentou, mas a luva era muito pequena.

— Srta. Aldin?

Mary, por sua vez, também calçou a luva.

— Também é muito pequena para a senhorita — observou Battle. Então se voltou para Audrey. — Creio que ficará perfeita na senhora. Sua mão é menor do que a das duas outras senhoras presentes.

Audrey apanhou a luva e a calçou em sua mão direita.

— Ela já disse, superintendente, que não é dela — repreendeu Nevile com rispidez.

— Bem — explicou Battle. — Nesse caso, talvez ela tenha se enganado ou, até mesmo, se esquecido.

Audrey falou:

— É capaz de ser minha... As luvas são tão parecidas umas com as outras, não são?

— De qualquer forma, ela foi encontrada presa entre as plantas... com a outra luva, debaixo da sua janela, sra. Strange.

Houve uma pausa. Audrey abriu a boca para falar, mas fechou-a em seguida. Diante do olhar fixo do superintendente Battle, ela baixou os olhos.

Nevile levantou-se bruscamente.

— Olhe aqui, superintendente...

— Poderíamos conversar em particular, sr. Strange? — perguntou Battle, sério.

— Com todo o prazer. Vamos para a biblioteca. — Mostrou o caminho para os dois policiais e, assim que a porta se fechou, falou rispidamente: — Que história ridícula é essa a respeito das luvas debaixo da janela de minha esposa?

— Foram encontradas algumas coisas estranhas nesta casa, sr. Strange — informou Battle calmamente.

— Estranhas? O que pretende dizer com isso?

— Vou lhe mostrar.

Em obediência a um gesto feito pelo tio, Leach saiu da sala e voltou trazendo um objeto muito esquisito.

Battle explicou:

— Isto, como o senhor pode ver, consiste de uma esfera de aço retirada de uma grade vitoriana... Uma pesada esfera de aço. A raquete de tênis foi serrada, e a pesada esfera foi presa a seu cabo. Creio que não há dúvida de que foi esta a arma que matou Lady Tressilian.

— Que horror! — exclamou Nevile estremecendo. — Mas como o senhor achou essa... essa abominação?

— A esfera foi limpa e recolocada na grade. O assassino, entretanto, num descuido, não limpou o parafuso, levando-

-nos a encontrar vestígios de sangue. Da mesma forma, as duas partes da raquete foram novamente fixadas com esparadrapo. Jogaram-na, então, displicentemente no armário debaixo das escadas, onde provavelmente passaria despercebida entre outros objetos, se não fosse o caso de estarmos procurando por alguma coisa desse tipo.

— O senhor foi muito esperto, superintendente.

— É apenas uma questão de rotina.

— Suponho que não tenham encontrado impressões digitais.

— Aquela raquete, que pelo peso pude concluir que pertença a sra. Kay Strange, foi usada por ela e também pelo senhor, pois encontramos nela suas digitais. Entretanto, também há sinais indiscutíveis de que alguém calçando luvas tenha usado a raquete depois de vocês dois. Encontramos apenas mais uma impressão, deixada provavelmente por descuido, no esparadrapo usado para recompor a raquete. Por enquanto não direi de quem é. Antes tenho que tratar de outros detalhes.

Battle se calou por um momento, e pouco depois voltou a falar:

— Quero que se prepare para um choque, sr. Strange. Primeiro tenho uma pergunta a lhe fazer. Está certo de que a ideia desse encontro aqui foi sua, e não da sra. Audrey Strange?

— Audrey nada teve a ver com isso, Audrey...

A porta se abriu, e Thomas Royde entrou.

— Desculpe-me pela intromissão — disse ele —, mas creio que gostaria de participar da conversa.

Nevile olhou-o com uma expressão de aborrecimento.

— Sinto muito, meu velho, mas este é um assunto particular.

— Lamento! Mas não estou me importando com isso. Eu ouvi um nome, entende?! O nome de Audrey.

— E que diabos você tem a ver com o nome de Audrey? — indagou Nevile, perdendo a calma.

— Bem... e o que você teria a ver com isso? Ainda não disse nada de definitivo a ela, mas vim para cá com a intenção de pedi-

-la em casamento, o que acho que ela já sabe. Pretendo me casar com ela.

O superintendente Battle pigarreou. Nevile se dirigiu ao policial bruscamente.

— Perdão, superintendente, essa interrupção...

— Eu não me importo, sr. Strange. Tenho mais uma coisa a lhe perguntar. Aquele terno azul-marinho que o senhor usou durante o jantar, na noite do crime, está com cabelos louros dentro do colarinho e nos ombros. Poderia me explicar como foram parar lá?

— Devem ser meus.

— Não. Não são seus. São cabelos de mulher, e há alguns fios de cabelo ruivo nas mangas.

— Suponho que esses sejam da minha mulher... Kay. Por acaso o senhor está insinuando que os outros são de Audrey?... É... parece-me bastante provável! Lembro-me de que numa noite, no terraço, prendi minha abotoadura nos seus cabelos.

— Nesse caso — murmurou o inspetor Leach — os cabelos louros deveriam estar na abotoadura.

— Que diabos está querendo insinuar com isso? — gritou Nevile.

— Também há vestígios de pó de arroz na parte de dentro do colarinho — observou Battle. — Primavera Naturelle Nº1: um pó de arroz caro e de aroma muito agradável. E não adianta querer me convencer de que é o senhor quem o usa, sr. Strange, porque não vou acreditar. A sra. Kay Strange usa Orchid Sun Kiss, enquanto a sra. Audrey Strange usa Primavera Naturelle Nº1.

— O que está querendo insinuar com isso? — repetiu Nevile.

Battle se inclinou para a frente.

— Estou dizendo que a sra. Audrey Strange usou aquele casaco em alguma ocasião. É a única explicação lógica para o fato de termos encontrado o pó nele. O senhor reparou naquela luva que eu mostrei ainda há pouco? É lógico que é dela. Aquela era a mão direita, aqui está a esquerda... — Ele retirou uma luva do bolso, colocando-a em cima da mesa. Estava amassada e com manchas cor de ferrugem.

— O que é isso? — Na voz de Nevile havia um quê de medo.

— Sangue, sr. Strange — respondeu Battle com firmeza. — E repare: é a luva da mão esquerda. A sra. Audrey Strange é canhota. Pude observar assim que a vi sentada à mesa com a xícara de café na mão direita e o cigarro na esquerda. E, além do mais, o tinteiro em sua escrivaninha estava do lado esquerdo. Tudo se enquadra perfeitamente: a esfera da grade de seu quarto, as luvas debaixo da sua janela, o cabelo e o pó de arroz no paletó. Lady Tressilian foi atingida na têmpora direita, mas a posição da cama não permitiria que alguém ficasse do outro lado. De onde se conclui que golpear Lady Tressilian com a mão direita seria muito difícil, mas, para uma pessoa canhota, essa seria a maneira normal.

Nevile riu com desdém.

— O senhor está insinuando que Audrey... que Audrey seria capaz de todos esses elaborados preparativos para matar uma velha senhora com quem ela conviveu durante todos esses anos, só para colocar a mão naquele dinheiro?

Battle balançou a cabeça.

— Eu não estou insinuando nada. Sinto muito, sr. Strange, mas precisa entender o que está se passando. Esse crime foi desde o começo dirigido contra o senhor. Desde que foi abandonada, a sra. Audrey vem alimentando o desejo de vingança. Acabou se tornando mentalmente desequilibrada. Talvez nunca tenha sido mentalmente muito forte. É possível que ela tenha pensado em matá-lo, mas isso não seria o suficiente. Finalmente teve a ideia de vê-lo enforcado por assassinato. Escolheu uma noite em que sabia que o senhor tinha discutido com Lady Tressilian. Pegou o paletó em seu quarto e o vestiu ao golpear a vítima, para que assim ficasse manchado de sangue. Colocou seu taco de golfe no chão para que encontrássemos nele as suas impressões digitais, e espalhou sangue e cabelo na sua parte superior. Persuadiu-o sutilmente a vir aqui na mesma época que ela. O que o salvou foi a única coisa com que ela não podia contar... o fato de Lady Tressilian ter tocado a campainha chamando Barrett, que por acaso o viu sair de casa.

Nevile enterrou o rosto nas mãos.

— Não é verdade! Não pode ser verdade! Audrey nunca guardou rancor contra mim. O senhor compreendeu tudo errado. Ela é a pessoa mais correta, honesta... incapaz de qualquer maldade.

Battle suspirou.

— Não pretendo discutir com o senhor. Queria apenas preveni-lo. Devo pedir à sra. Strange que me acompanhe. Tenho um mandado de prisão. É melhor arranjar-lhe um advogado.

— É um absurdo! Completamente absurdo!

— O amor se transforma em ódio muito mais facilmente do que se pensa, sr. Strange.

— Digo que é tudo um erro... um absurdo!

Thomas Royde o interrompeu. Sua voz era calma e agradável:

— Pare de repetir que é um absurdo, Nevile. Procure se controlar. Não vê que a única coisa que pode ajudar Audrey agora é você desistir de todas as suas ideias de cavalheirismo e dizer a verdade?

— A verdade? Você quer dizer... — gaguejou Nevile.

— A verdade sobre Audrey e Adrian. — Royde voltou-se para os policiais. — Sabe, superintendente, o senhor está equivocado. Nevile não abandonou Audrey... Ela é que o deixou. Fugiu com o meu irmão Adrian, que logo em seguida morreu em um acidente de automóvel. Nevile se comportou com o máximo de cavalheirismo com ela. Combinou que se divorciariam, e que ele levaria a culpa.

— Eu não queria que o nome dela fosse jogado na lama — murmurou Nevile, mal-humorado. — Pensei que ninguém soubesse nada a esse respeito.

— Adrian me escreveu contando — explicou Thomas.

— Isso elimina o motivo, superintendente. Audrey não tem por que odiar Nevile; pelo contrário, ela só tem razões para lhe ser agradecida. Ele tentou fazer com que ela aceitasse uma mesada, o que Audrey recusou. Naturalmente, quando ele quis que ela viesse e se encontrasse com Kay, ela não teve como recusar.

— O senhor está vendo? — acrescentou Nevile, aflito. — Isso elimina o motivo. Thomas tem razão.

Battle continuava imperturbável.

— O motivo é apenas uma parte — disse ele. — Posso ter me enganado, mas existem os fatos, e todos eles mostram que ela é a culpada.

— Há dois dias, todos os fatos mostravam que era eu o culpado! — afirmou Nevile de maneira significativa.

Battle pareceu um tanto hesitante.

— Bem, isso é verdade. Mas veja bem em que o senhor está me pedindo para acreditar. Está pedindo que eu acredite que existe alguém que detesta vocês dois... alguém que, se a trama armada contra o senhor falhasse, teria preparado uma trilha para nos levar até a sra. Audrey. Pode pensar em alguém que deteste tanto o senhor quanto a sua antiga esposa?

Mais uma vez, Nevile afundou o rosto nas mãos.

— Da maneira como o senhor fala, tudo parece tão fantástico!

— Mas é fantástico! Tenho que me basear nos fatos. Se a sra. Strange tiver alguma explicação a dar...

— Por acaso eu tive de dar alguma explicação? — perguntou Nevile.

— Não adianta, sr. Nevile. Eu tenho que cumprir o meu dever.

Battle levantou-se abruptamente. Ele e Leach foram os primeiros a deixarem o cômodo, e logo atrás saíram Nevile e Royde. Atravessaram o saguão em direção à sala de visitas. Chegando lá, pararam.

Audrey Strange levantou-se e foi até eles. Ela olhou diretamente para Battle, com os lábios entreabertos, quase num sorriso.

— É a mim que o senhor quer, não é?

Battle falou em tom muito profissional:

— Sra. Strange, tenho comigo a sua ordem de prisão pelo assassinato de Lady Tressilian, na última segunda-feira, no dia 12 de setembro. Devo preveni-la de que tudo o que disser será anotado, e poderá ser usado como prova no seu julgamento.

Audrey suspirou. Seu pequeno rosto estava calmo e puro como um camafeu.

— É quase um alívio. Estou contente que... que tudo tenha acabado!

Nevile deu um passo à frente.

— Audrey, não diga nada... nada mesmo.

— Por que não, Nevile? É tudo verdade... e estou tão cansada!

Leach suspirou fundo. Bem, o caso estava resolvido! Coisa de louco, é claro, mas pouparia um bocado de preocupação! Ele ficou imaginando o que teria acontecido com seu tio. O velho parecia ter visto um fantasma. Olhava fixamente para a pobre moça desequilibrada, como se não acreditasse no que estava vendo. "Bem, tinha sido um caso interessante", pensou Leach satisfeito.

E, então, num anticlímax quase grotesco, Hurstall abriu a porta e anunciou:

— O sr. MacWhirter.

MacWhirter entrou resoluto, indo direto até Battle.

— O senhor é o policial encarregado do caso de Lady Tressilian?

— Sim, sou eu.

— Tenho uma importante declaração a fazer. Lamento não ter vindo antes, mas só agora percebi a importância do que vi, por acaso, na noite da última segunda-feira. — Ele lançou um rápido olhar em torno da sala. — Será que poderíamos conversar em algum outro lugar?

Battle dirigiu-se a Leach.

— Pode ficar aqui com a sra. Strange?

— Sim, senhor — respondeu Leach.

Em seguida, ele se inclinou e cochichou alguma coisa no ouvido do tio.

— Venha por aqui — disse Battle para MacWhirter, conduzindo-o até a biblioteca.

— Bem. E agora? O que significa tudo isso? Meu colega me falou que já o viu antes... no inverno passado?

— Correto — confirmou MacWhirter. — Tentativa de suicídio. Isso faz parte da minha história.

— Prossiga, sr. MacWhirter.

— No último mês de janeiro tentei me matar, jogando-me do Stark Head. Entretanto, algo me impeliu agora, para que voltasse ao mesmo lugar. Na noite de segunda-feira subi até lá. Olhei para o mar, para Easterhead Bay e em seguida para a minha esquerda. O que significa que olhei na direção desta casa. Com o luar, eu pude ver com muita clareza.

— Continue — ordenou Battle.

— Somente hoje me dei conta de que aquela noite tinha sido a do crime. — Inclinou-se para a frente. — Vou lhe contar o que vi.

XVI

Na realidade haviam-se passado apenas cinco minutos antes de Battle retornar à sala de visitas; entretanto, para os que lá estavam, pareceu uma eternidade.

Kay tinha, repentinamente, perdido o controle, e gritava para Audrey:

— Sabia que era você. Sempre soube que era você. Tinha certeza de que você estava tramando alguma coisa...

— Por favor, Kay — pediu Mary mais do que depressa.

— Cale a boca, Kay, pelo amor de Deus — disse Nevile rispidamente.

Ted Latimer foi até Kay, que começara a chorar.

— Procure se controlar — disse ele carinhosamente.

Virando-se para Nevile, falou com raiva:

— Parece que você não compreende que Kay tem estado sob enorme tensão! Por que não cuida dela um pouco, Strange?

— Eu estou bem — disse Kay.

— Por mim, eu a levaria agora mesmo para longe desse bando — exclamou Ted.

O inspetor Leach pigarreou. Como ele tão bem sabia, numa hora dessas, sempre se diziam muitos insultos. O mal é que, normalmente, depois de tudo terminado, sempre continuavam a ser lembrados.

Battle voltou para a sala. Seu rosto estava inexpressivo.

— Quer preparar algumas coisas para levar, sra. Strange? Receio que o inspetor Leach terá que acompanhá-la até lá em cima — informou ele.

— Eu também irei — informou Mary Aldin.

Assim que as duas mulheres se retiraram com o inspetor, Nevile indagou, aflito:

— Bem, o que desejava aquele sujeito?

— O sr. MacWhirter contou uma história muito estranha.

— E vai servir para ajudar Audrey? O senhor continua decidido a prendê-la?

— Já lhe disse, sr. Strange. Tenho que cumprir o meu dever.

Nevile virou-se. A ansiedade estava apagando-se do seu rosto.

— Creio que é melhor telefonar para Trelawny.

— Isso pode esperar, sr. Strange. Primeiro há uma certa experiência que eu quero fazer, por causa da declaração de MacWhirter. Só estou esperando que a sra. Strange se vá.

Audrey vinha descendo as escadas, e ao seu lado estava o inspetor Leach. Ainda havia em seu rosto aquela expressão tranquila, distante e desligada.

Com as mãos estendidas, Nevile foi até ela.
— Audrey...
Ela, que estava com o olhar vazio, falou:
— Está tudo bem, Nevile. Eu não me importo. Não me importo com coisa alguma.
Perto da porta, estava Thomas Royde, como se fosse barrar a saída.
Um sorriso desmaiado apareceu nos lábios de Audrey.
— O fiel Thomas — sussurrou ela.
— Se há alguma coisa que eu possa fazer... — murmurou ele.
— Ninguém pode fazer nada — disse ela. E saiu de cabeça erguida.
Lá fora, um carro da polícia e o sargento Jones aguardavam. Audrey e Leach entraram no carro.
— Linda saída! — comentou Ted Latimer.
Nevile partiu furioso para cima dele. O superintendente Battle, habilmente, apartou-os com o corpo, e começou a falar com voz suave:
— Como eu disse, tenho uma experiência a fazer. O sr. MacWhirter está nos esperando nas barcas. Devemos encontrá-lo daqui a dez minutos. Vamos sair numa lancha a motor. Sendo assim, é melhor que as senhoras se agasalhem bem. Em dez minutos, por favor!
Parecia um diretor de teatro, comandando o elenco no palco. Não tomou o menor conhecimento dos rostos intrigados.

Hora zero

I

A água estava fria, fazendo com que Kay se aconchegasse mais a seu pequeno casaco de pele.

A lancha deslizava rio abaixo, e mais adiante deu a volta entrando na pequena baía que dividia Gull's Point da massa sombria de Stark Head.

De quando em quando alguém esboçava uma pergunta, mas a cada vez que isso acontecia o superintendente Battle levantava sua grande mão, como um aviso de que a hora ainda não havia chegado. Assim, o silêncio só era quebrado pelo ruído do motor da lancha.

Kay e Ted se encontravam de pé olhando para a água; Nevile estava afundado num canto, com as pernas para fora; Mary Aldin e Thomas Royde estavam sentados na proa. De vez em quando, todos olhavam curiosos para a figura alta e desinteressada de MacWhirter perto da popa. Ele não olhava para ninguém, permanecendo virado de costas, com os ombros curvados.

Somente quando chegaram debaixo da pesada sombra de Stark Head é que Battle diminuiu a marcha da lancha e começou a falar.

Falava sem constrangimento, e o seu tom de voz era, acima de tudo, ponderado.

— Esse foi um caso muito curioso; um dos mais curiosos que já vi, e, assim, gostaria de dizer-lhes algumas palavras sobre assassinatos de um modo geral. Entretanto, o que vou dizer-lhes não é nada novo. Na realidade ouvi o jovem Daniels K.C. comentar alguma coisa a esse respeito, e não ficaria surpreso se ele também já não tiver ouvido de outra pessoa... Ele tem o costume de agir dessa maneira!

"É o seguinte: quando os senhores leem o relato de um assassinato, ou mesmo um romance baseado num assassinato, normalmente eles começam com o próprio crime. No entanto, está tudo errado. O crime começa muito antes. Ele é o ponto culminante de várias circunstâncias diferentes, todas convergindo para um determinado momento e para um determinado local. As pessoas são reunidas, vindas de todas as partes do mundo por motivos inesperados. O sr. Royde, por exemplo, veio da Malásia; o sr. MacWhirter está aqui porque desejava rever o local onde havia tentado o suicídio. O assassinato é o final da história, é a hora zero."

Fez-se uma pausa.

— Agora é a hora zero — repetiu Battle.

Cinco rostos se viraram em sua direção... apenas cinco, pois MacWhirter não moveu a cabeça. Cinco rostos intrigados .

Mary Aldin foi a primeira a falar:

— O senhor quer dizer que a morte de Lady Tressilian foi o clímax de uma longa série de acontecimentos?

— Não, srta. Aldin, não estou me referindo ao assassinato de Lady Tressilian. Sua morte foi apenas uma consequência do principal objetivo do assassino. Estou falando sobre o assassinato de Audrey Strange.

Podia-se ouvir a respiração ofegante dos presentes. Battle ficou imaginando se, de repente, alguém estaria com medo...

— Esse crime foi planejado há muito tempo... provavelmente no último inverno. Foi planejado em seus mínimos detalhes. Tinha um objetivo... um único objetivo: que Audrey Strange fosse pendurada pelo pescoço até morrer... Tudo foi astutamente arquitetado por alguém que se considerava muito esperto. Os assassinos costumam ser muito vaidosos. Primeiro foram todas aquelas provas insatisfatórias contra Nevile Strange, preparadas só para nos enganar. Depois de termos tantas provas forjadas, seria quase impossível considerarmos a hipótese de uma segunda armação. Entretanto, se observarmos bem, todas as provas contra Audrey Strange também poderiam ter sido forjadas. A arma retirada da lareira de seu quarto; suas luvas; a luva da mão esquerda salpicada de sangue e escondida entre as plantas debaixo de sua janela; o pó de arroz e também alguns fios de cabelo espalhados no colarinho do paletó; suas impressões digitais no esparadrapo, que foi tirado de seu quarto; e até mesmo a natureza do golpe de canhota.

"E por último — prosseguiu Battle — a evidência condenatória da própria sra. Strange. Não creio que entre vocês exista alguém (exceto aquele que o sabe) que possa acreditar em sua inocência, depois da maneira como se comportou quando a levamos presa. Naquela hora, ela praticamente admitiu sua culpa. Talvez eu mesmo não tivesse acreditado em sua inocência se não tivesse passado por uma experiência similar... Assim que a vi e a ouvi falar, fiquei muito impressionado, porque conheci uma garota que fez exatamente a mesma coisa, isto é, que se confessou culpada quando na verdade não o era. Naquele momento, Audrey Strange estava me olhando com os olhos daquela garota...

"Todavia, era preciso cumprir o meu dever. Eu sabia disso. Nós policiais temos que nos basear em evidências, e não no que pensamos ou sentimos. Entretanto, posso lhes afirmar que, naquele exato momento, rezei por um milagre, porque sabia que só assim aquela pobre moça poderia se salvar. E eu consegui o milagre. Consegui-o na mesma hora! O sr. MacWhirter, que aqui está, apareceu contando a sua história."

Fez-se uma nova pausa.

— Sr. MacWhirter, poderia repetir o que me contou?

MacWhirter se virou. Ele falou em frases curtas e precisas, cheias de convicção justamente por serem sucintas.

Fez um relato sobre o seu salvamento no penhasco em janeiro último e sobre a sua vontade de voltar ao local. E continuou falando.

— Fui até lá na noite de segunda-feira. Fiquei parado, perdido em meus pensamentos. Isso deve ter sido por volta das onze horas. Olhei na direção daquela casa, naquele cabo... Gull's Point, como agora sei que se chama.

Ele fez uma pausa, e depois prosseguiu:

— Havia uma corda pendurada na janela, caindo no mar. Vi um homem subindo por ela...

Passou-se apenas um minuto para que percebessem o que ele dissera.

Mary exclamou:

— Então foi mesmo um estranho?! Nada teve a ver com nenhum de nós. Foi um ladrão comum!

— Não se precipite — retrucou Battle. — Realmente foi alguém vindo do outro lado do rio, já que veio nadando. No entanto, era preciso que alguém de dentro da casa tivesse deixado a corda pronta para ser usada; de onde se conclui que se trata realmente de alguém de Gull's Point.

"Sabemos de alguém que, naquela noite, estava do outro lado do rio — continuou Battle vagarosamente. — Alguém que não foi visto entre as 22h30 e as 23h15, e que poderia ter nadado ida e volta. Alguém que poderia ter um amigo nesta margem do rio. Ahn, sr. Latimer?"

Ted deu um passo para trás, gritando numa voz estridente:

— Mas eu não sei nadar! Todo mundo sabe que eu não sei nadar! Kay, diga a eles que eu não sei nadar.

— É claro que Ted não sabe nadar — gritou Kay.

— É verdade? — perguntou o superintendente gentilmente.

Battle atravessou o barco no momento em que Ted vinha em sua direção. Houve algum movimento desajeitado, e ouviu-se um barulho na água.

— Meu Deus! — exclamou o superintendente, preocupado.
— O sr. Latimer caiu na água.

Battle segurou Nevile com as duas mãos, quando este se preparava para pular atrás de Ted.

— Não, não, sr. Strange. Não há necessidade de se molhar. Dois dos meus homens estão pescando ali naquele bote. — Ele olhou para a água. — O sr. Latimer estava falando a verdade. Realmente não sabe nadar. Agora está tudo bem. Já conseguiram pegá-lo. Peço desculpas, mas só existe uma maneira para se ter certeza absoluta de que uma pessoa não sabe nadar: é jogá-la na água e observar. Não gosto de cometer erros! Primeiro eu precisava eliminar o sr. Latimer. O sr. Royde tem um braço defeituoso e não poderia ter subido por aquela corda.

A voz de Battle tornou-se felina:

— Isso nos leva ao senhor, não é, sr. Strange? Um ótimo atleta, alpinista, nadador e tudo o mais. Já foi confirmado que o senhor pegou a barca das dez e meia, entretanto ninguém pode jurar que o tenha visto no Hotel Easterhead antes das 23h15, apesar da sua versão de ter ficado durante esse tempo todo à procura do sr. Latimer.

Com um puxão, Nevile soltou o braço. Jogou a cabeça para trás e riu.

— Está sugerindo que eu atravessei o rio a nado e subi pela corda...

— Que o senhor já tinha deixado pendurada em sua janela — afirmou Battle.

— Matado Lady Tressilian e nadado de volta? Por que eu faria uma coisa tão fantástica? E quem preparou todas aquelas provas contra mim? Suponho que tenha sido eu mesmo!

— Exatamente — atestou Battle. — E a ideia não foi má.

— E por que eu haveria de querer matar Camilla Tressilian?

— O senhor não queria! Queria, no entanto, enforcar a mulher que o deixara por outro homem. O senhor é um tanto perturbado mentalmente. E assim o é desde criança... Investiguei aquele velho caso do arco e flecha. Qualquer pessoa que o ofenda deve ser castigada, e a morte não era o suficiente para Audrey, a sua Audrey, a quem amava tanto. Oh, sim! O senhor a amava antes de seu amor se transformar em ódio. Precisava pensar em algum tipo especial de morte: uma morte lenta e sofrida. E quando o senhor decidiu como ela seria, o fato de que seu plano incluiria o assassinato de uma mulher que tinha sido uma espécie de mãe para o senhor não o preocupou nem um pouco.

Quando Nevile falou, sua voz parecia bastante calma.

— É tudo mentira. Tudo mentira. E eu não sou louco. Não sou louco.

Battle falou com desdém:

— Quando foi embora, deixando-o por outro homem, ela o atingiu profundamente, não foi? Feriu o seu orgulho. Era um absurdo pensar que ela seria capaz de abandonar uma pessoa como o senhor. Fingindo para o mundo todo que o senhor a havia abandonado, conseguiu salvar o seu orgulho. E, para reforçar essa crença, ainda se casou com outra mulher. No entanto, durante esse tempo todo o senhor esteve planejando o que faria contra Audrey. Não pôde pensar em nada pior do que vê-la enforcada. Realmente foi uma ideia bastante boa! Pena que não teve cabeça para executá-la melhor!

Nevile mexeu os ombros, num movimento esquisito.

Battle continuou:

— Infantil... toda aquela história do taco de golfe! Todas aquelas pistas grosseiras apontando para a sua pessoa. Audrey deveria saber o que o senhor estava tramando. Como ela deve ter rido ao pensar que eu não suspeitava do senhor. Vocês assassinos são uns sujeitos engraçados. Tão convencidos! Sempre achando que são muito espertos e habilidosos, quando, na verdade, são lamentavelmente infantis...

Um estranho e grotesco grito partiu de Nevile.

— Foi um plano excelente... realmente foi! O senhor nunca teria descoberto. Nunca! Se não fosse a interferência desse pretensioso e arrogante escocês idiota. Eu estudei cada detalhe... cada detalhe. Não pude evitar o que aconteceu. Como poderia saber que Royde tinha conhecimento da verdade a respeito de Audrey e Adrian? Audrey e Adrian... Maldita Audrey... Ela vai ser enforcada, o senhor tem que enforcá-la... Quero que ela morra sentindo muito medo... que morra... morra. Eu a odeio. Quero que ela morra.

Sua voz alta e lamurienta se calou. Nevile se afundou em um canto e começou a chorar baixinho.

— Oh, meu Deus! — disse Mary Aldin, que estava muito pálida.

Battle falou delicadamente:

— Sinto muito, mas tive que pressioná-lo. Havia poucas provas.

Nevile continuava a chorar. Seu choro parecia o de uma criança.

— Quero que ela seja enforcada. Quero que ela seja enforcada...

Mary estremeceu e se virou para Thomas Royde, que segurou suas mãos.

II

— Eu sempre senti medo — disse Audrey.

Audrey estava sentada no terraço, perto do superintendente Battle, o qual havia retomado suas férias e se encontrava agora em Gull's Point na condição de amigo.

— Sempre tive medo... o tempo todo — repetiu Audrey.

Balançando a cabeça, Battle comentou:

— No primeiro momento em que a vi, soube que estava morta de medo. A senhora tinha aquele mesmo jeito apagado e reservado que as pessoas possuem quando estão reprimindo alguma emoção muito forte. Poderia ser amor ou ódio, mas na verdade era medo, não era?

Audrey concordou com a cabeça.

— Comecei a ter medo de Nevile pouco depois que nos casamos. Mas sabe o que era terrível em tudo isso? É que eu não sabia o porquê. Comecei a pensar que estava ficando louca.

— Não, não era a senhora.

— Quando me casei com Nevile ele parecia tão sadio e normal, sempre maravilhosamente bem-humorado e gentil.

— Interessante — comentou Battle. — Ele desempenhava o papel de um bom desportista. É por isso que conseguia manter tão bem a calma nos jogos de tênis. Para ele, o papel de bom desportista era mais importante do que ganhar as partidas. Porém, isso o mantinha sob constante tensão, o que sempre acontece quando se vive representando um papel. E assim, ele acabou se destruindo interiormente.

— O interior — murmurou Audrey com um tremor. — Sempre o interior. Nada em que se possa tocar. Às vezes havia uma palavra ou um olhar. Mas logo em seguida, eu ficava pensando que era tudo minha imaginação... Algo esquisito. E depois, como eu já disse, comecei a achar que eu é que deveria estar desequilibrada. E, assim, continuei a me sentir cada vez mais amedrontada... Um medo irracional que deixa qualquer um doente!

"Disse a mim mesma que estava ficando louca — continuou Audrey. — Mas eu não podia evitar o que estava acontecendo. Senti que faria qualquer coisa no mundo para poder fugir. Foi aí que Adrian apareceu dizendo que me amava, e eu achei que seria ótimo fugir com ele, porque assim eu ficaria a salvo... — Ela fez uma pausa. — Sabe o que aconteceu? Fui ao encontro de Adrian... ele nunca apareceu... ele morreu... tive a sensação de que de alguma forma Nevile havia preparado aquilo..."

— Talvez tenha — observou Battle.

Audrey olhou-o, alarmada.

— Ah, o senhor acha?

— Nós nunca saberemos. Acidentes de carro podem ser preparados. Contudo, não fique se afligindo com essa ideia, sra. Strange. Provavelmente foi apenas um acidente.

— Eu... Eu estava arrasada. Fui então para a Reitoria: a casa da mãe de Adrian. Íamos escrever-lhe contando tudo sobre nós, mas, já que ela não chegara a saber, resolvi não lhe contar para evitar o sofrimento. Nevile foi até lá, logo em seguida. Foi muito amável e gentil, mas durante o tempo todo em que conversamos eu estava morrendo de medo. Ele disse que não havia necessidade de ninguém saber sobre Adrian, e que eu poderia me divorciar dele alegando os motivos que ele me indicaria mais tarde. Disse também que iria se casar novamente, logo em seguida. Fiquei muito grata por tudo aquilo. Sabia que ele achava Kay atraente. Eu esperava que tudo desse certo e que pudesse me livrar daquela estranha obsessão, pois continuava a pensar que era eu que não estava bem.

"Na verdade — prosseguiu Audrey —, nunca consegui me livrar completamente daquela sensação. Sempre achei que não escaparia. Então, certo dia encontrei Nevile no parque, e ele me explicou que gostaria muito que eu e Kay nos tornássemos amigas, e sugeriu que viéssemos todos para cá em setembro. Eu não pude recusar. Como poderia recusar, depois de tudo de bom que ele havia feito por mim?"

— "Quer entrar em minha casa?", disse a aranha para a mosca — comentou Battle.

— Sim, foi exatamente isso — confirmou Audrey, estremecendo.

— Ele foi muito esperto a esse respeito — comentou Battle. — Protestou tanto dizendo que a ideia tinha sido dele que todos ficaram com a impressão de que não tinha sido.

— E então cheguei aqui... e foi como um pesadelo — disse Audrey. — Eu sabia que algo horrível iria acontecer... Sabia que Nevile estava tramando alguma coisa... alguma coisa contra mim. Porém eu não sabia o quê. Acredite, eu quase fiquei louca de verdade. Estava paralisada de medo, como quando se está sonhando que algo vai acontecer e não se consegue mover-se...

— Sempre achei — comentou o superintendente — que gostaria de ver uma cobra hipnotizar um pássaro, para não deixá-lo voar. Agora, no entanto, eu já não tenho certeza se gostaria.

Audrey continuou falando:

— Mesmo quando Lady Tressilian foi assassinada, eu não compreendi o que aquilo significava. Estava confusa. Não suspeitei de Nevile. Sabia que ele não dava importância ao dinheiro, e seria um absurdo pensar que ele a havia matado para herdar cinquenta mil libras.

"Pensei sem parar no sr. Treves e na história que ele havia contado — disse ela. — Mesmo assim, não associei o Nevile ao caso. O sr. Treves mencionara uma peculiaridade física que faria com que ele reconhecesse a criança da história, mesmo depois de passado tanto tempo. Eu tenho uma cicatriz na orelha, mas não pude notar nada de diferente em mais ninguém da casa."

Battle observou:

— A srta. Aldin tem uma mecha branca. Thomas Royde tem um braço defeituoso, que poderia não ter sido apenas o resultado de um terremoto. O sr. Ted Latimer tem um formato de cabeça bastante estranho. E Nevile Strange...

Ele se calou.

— Nevile não tem nenhuma peculiaridade física — afirmou Audrey.

— Oh, sim, tem. O dedo mínimo de sua mão esquerda é mais curto do que o da mão direita. Isso é muito raro, sra. Strange... muito raro.

— Então era isso?

— Sim.

— E Nevile pendurou aquele cartaz na porta do elevador?

— Sim. Foi até lá e voltou rapidamente, enquanto Royde e Latimer serviam bebidas para o velho. Um golpe inteligente e simples. Tenho minhas dúvidas se conseguiríamos provar que aquilo foi um assassinato.

Mais uma vez Audrey estremeceu.

— Calma, calma — pediu Battle. — Agora tudo já acabou, minha querida. Continue falando.

— O senhor é muito esperto... Há anos que não falo tanto!

— É! E esse foi o seu erro. Quando foi que percebeu o jogo do sr. Nevile?

— Eu não sei exatamente. Percebi tudo de repente. Ele havia sido inocentado, deixando assim nós todos como suspeitos. E então, subitamente, eu o vi olhando para mim... Um olhar de satisfação maligna. E foi aí que compreendi! Foi então que...

Ela parou repentinamente.

— Foi então que o quê?

— Foi então que pensei que uma saída rápida seria o melhor — disse Audrey vagarosamente.

O superintendente Battle balançou a cabeça.

— Nunca desista. Esse é o meu lema.

— Oh, o senhor tem razão. Contudo, não sabe o que o medo pode fazer a uma pessoa. Fica-se paralisada... não se consegue pensar... não se pode planejar nada... fica-se apenas esperando que uma coisa terrível aconteça. E, então, quando acontece... — Audrey deu um sorriso rápido e inesperado. — O senhor ficaria surpreso com o alívio que se sente. Nada mais de esperas ou de medo . Acho que o senhor vai pensar que eu sou maluca, se eu lhe contar que quando veio me prender por assassinato eu não me importei nem um pouco. Nevile tinha conseguido o que queria, e agora estava tudo terminado. Senti-me tão segura indo embora na companhia do inspetor Leach.

— Em parte, foi por esse motivo que fizemos aquilo — explicou Battle. — Queria que a senhora ficasse fora do alcance daquele louco. E, além disso, se eu pretendia desmascará-lo, era preciso poder contar com o choque da sua reação. E com ele achando que seu plano dera certo, o choque seria muito maior.

— Se Nevile não tivesse perdido a calma, haveria alguma prova contra ele?

— Pouca coisa. Haveria o relato de MacWhirter sobre o homem que ele vira, ao luar, subindo pela corda. E para confirmar essa história, havia a própria corda, guardada no sótão, ainda ligeiramente úmida. Como sabe, estava chovendo naquela noite.

Calou-se e ficou encarando Audrey como se esperasse que ela fosse dizer alguma coisa. Já que ela permaneceu calada aparentando apenas interesse, ele prosseguiu:

— Havia também o terno listrado. Naquela noite, ele tinha se despido no escuro, na parte rochosa da margem da Easterhead Bay, enfiando o terno em um vão entre as pedras. Por acaso ele colocou o terno em cima de um pedaço de peixe deteriorado, que tinha sido levado pela maré dois dias antes. Com isso, o paletó ficou com uma mancha no ombro e com um cheiro muito forte. Descobri que houve alguns rumores sobre um problema com os esgotos do hotel. Foi o próprio Nevile quem se encarregou de espalhar o boato. Vestiu a capa de chuva por cima do terno, mas o cheiro era muito forte. Mais tarde, viu-se atrapalhado com o terno e, na primeira oportunidade, levou-o para a lavanderia, onde, muito tolamente, não deu seu nome verdadeiro. Escolheu um nome a esmo, na realidade um que ele tinha visto no registro do hotel. E assim o terno foi parar nas mãos de seu amigo, que, sendo inteligente, associou-o com o homem subindo pela corda. Você pisa num peixe deteriorado, mas não põe o ombro nele a não ser que tenha tirado a roupa para se banhar à noite; e ninguém iria se banhar por prazer numa noite chuvosa de setembro. O sr. MacWhirter encaixou todas as peças. Ele é um homem muito engenhoso.

— Mais do que engenhoso — opinou Audrey.

— Hum, hum, bem, talvez. Quer informações sobre ele? Posso lhe contar o que sei a seu respeito.

Audrey ouviu com atenção. Battle encontrou nela uma boa ouvinte.

— Devo muito a ele e ao senhor — disse ela.

— A senhora não me deve tanto assim — observou Battle.

— Se não tivesse sido tão tolo, teria logo percebido a questão da campainha.

— Campainha? Que campainha?

— A campainha do quarto de Lady Tressilian. Sempre achei que havia algo de errado com ela. Quase decifrei tudo quando, ao descer as escadas, vi uma dessas varas usadas para abrir janelas.

Audrey ainda parecia confusa.

— Essa era toda a questão com a campainha, entende... dar a Nevile um álibi. Lady Tressilian não se lembrava por que tocou a campainha... É claro que não poderia se lembrar, pois não a tinha tocado! Fora Nevile que, com aquela vara comprida, tocara a campainha no corredor, encostando nos fios que passavam ao longo do teto. Foi por isso que Barrett, ao descer, viu o sr. Nevile Strange descendo as escadas e saindo, e encontrou Lady Tressilian viva e em perfeita saúde. Todo o caso da empregada era bastante suspeito. De que adiantaria dopá-la para um crime que iria ser cometido antes da meia-noite? Haveria poucas chances de que ela já estivesse convenientemente adormecida até então. Contudo, ficaria assim determinado que o assassinato fora um trabalho interno, dando algum tempo para Nevile desempenhar seu papel de principal suspeito. Em seguida Barrett dava seu testemunho, e Nevile seria tão triunfalmente inocentado que ninguém se preocuparia em investigar, mais minuciosamente, a hora exata em que ele havia chegado ao hotel. Sabemos que ele não tinha atravessado de barca, e que nenhum barco fora roubado. Restava ainda a possibilidade de ter nadado. Ele é um excelente nadador, mas mesmo assim o tempo parecia pouco. Subindo pela corda que ele mesmo havia deixado pendurada, entrou em seu quarto deixando no chão uma considerável quantidade de água, como pudemos notar, mas infelizmente sem perceber o indício. Vestiu o terno azul-marinho, foi até o quarto de Lady Tressilian (não vamos entrar em detalhes aqui), o que não teria levado mais do que alguns minutos, uma vez que havia deixado previamente preparada a esfera de aço. Em seguida voltou ao seu quarto, tirou a roupa, desceu pela corda e voltou para Easterhead.

— E se Kay entrasse no quarto?

— Pode estar certa de que ela havia sido suavemente dopada. Contaram-me que logo após o jantar ela começou a bocejar. Além disso, ele tinha providenciado uma discussão com ela, para que assim ela trancasse a porta, impedindo a sua entrada.

— Estou tentando me lembrar se eu notei a falta da esfera na grade da lareira. Acho que não. Quando foi que ele a recolocou no lugar?

— Na manhã seguinte, quando a confusão começou. Depois de voltar no carro de Ted Latimer, teve toda a noite para se livrar das pistas, ajeitar tudo, reparar a raquete de tênis etc... A propósito, ele matou a velha senhora com um golpe de esquerda. Foi por esse motivo que se teve a impressão de que o crime havia sido cometido por uma pessoa canhota. Lembre-se de que, no tênis, o golpe de esquerda sempre foi o ponto forte de Nevile!

— Chega... Chega... — Audrey levantou as mãos. — Não suporto mais.

Ele sorriu para ela.

— De qualquer maneira lhe fez bem desabafar. Posso ser impertinente e lhe dar um conselho, sra. Strange?

— Sim, por favor.

— A senhora viveu durante oito anos com um criminoso lunático, e isso é o bastante para acabar com os nervos de qualquer mulher. Mas agora é preciso acordar, sra. Strange. Não precisa mais ter medo. A senhora deve se convencer disso.

Audrey sorriu. A expressão gélida desaparecera de seu rosto. Naquele momento ele era doce, um tanto tímido, mas confiante. Seus olhos estavam cheios de gratidão.

— Qual será a melhor maneira de se fazer isso?

O superintendente Battle refletiu.

— Pense na coisa mais difícil que puder imaginar, e então comece a realizá-la imediatamente — aconselhou Battle.

III

Andrew MacWhirter estava fazendo as malas. Guardou cuidadosamente três camisas que havia se lembrado de apanhar na lavanderia. Dois ternos deixados por dois MacWhirters diferentes tinham sido demais para a balconista.

Uma batida na porta, e ele gritou:

— Entre.

Audrey entrou.

— Vim agradecer-lhe... Está fazendo as malas?

— Sim. Vou-me embora hoje à noite. O navio parte depois de amanhã.

— Para a América do Sul?

— Para o Chile.

— Deixe que eu faça a mala para você — disse ela.

MacWhirter protestou, mas ela não lhe deu ouvidos. Ele a observava enquanto trabalhava ágil e metodicamente.

— Pronto — falou ela ao terminar.

— Você fez isso muito bem — observou MacWhirter.

Ficaram em silêncio. Foi Audrey quem falou.

— Você salvou minha vida. Se não tivesse visto o que viu...

Ela interrompeu o que estava dizendo, para logo depois perguntar-lhe:

— Você compreendeu de imediato, naquela noite no penhasco, quando... quando me impediu de pular... quando disse: "Vá para casa, não deixarei que seja enforcada"... foi naquele instante que você percebeu que tinha alguma prova importante?

— Não exatamente — respondeu MacWhirter. — Eu ainda precisava refletir.

— Então como pôde dizer o que disse?

MacWhirter sempre ficava aborrecido quando tinha que explicar a enorme simplicidade do curso de seu pensamento.

— Era exatamente aquilo o que eu queria dizer... que pretendia impedir que você fosse enforcada.

Audrey ficou ruborizada.

— E se eu fosse culpada...

— Isso não teria feito nenhuma diferença.

— Então você achava que eu era culpada?

— Eu não pensei muito no assunto. Estava inclinado a acreditar que você era inocente. Mas, mesmo que não o fosse, eu teria feito tudo da mesma maneira que fiz.

— Foi então naquela hora que você se lembrou do homem da corda?

MacWhirter permaneceu em silêncio por alguns minutos. Depois pigarreou.

— Suponho que é melhor que você saiba logo a verdade: eu não vi nenhum homem subindo por aquela corda. Na realidade eu não poderia ter visto, pois estive em Stark Head na noite de domingo, e não na segunda-feira. Deduzi o que deveria ter acontecido pelas evidências do terno, e as minhas suposições foram confirmadas ao encontrar no sótão a corda ainda úmida.

De vermelha, Audrey ficara branca. Ela perguntou incrédula:

— Toda a sua história era uma mentira?

— A polícia não teria dado crédito a uma simples dedução. Eu precisava afirmar que tinha visto o que acontecera.

— Mas... Mas você poderia ter sido chamado para jurar no tribunal.

— Eu sei.

— E você o teria feito?

— Sim.

Audrey gritou:

— E é você... você, o homem que perdeu o emprego e chegou ao ponto de se jogar de um penhasco por não querer adulterar a verdade!

— Eu tenho um grande respeito pela verdade. Entretanto, descobri que existem coisas mais importantes.

— Como o quê?

— Você — afirmou MacWhirter.

Audrey baixou os olhos. Ele pigarreou, embaraçado.

— Não precisa achar que me deve algum favor ou coisa parecida. Amanhã você não ouvirá mais falar de mim. Uma vez que Nevile confessou, a polícia não mais precisará do meu testemunho. Seja como for, ouvi dizer que ele está tão mal que talvez não viva para comparecer ao julgamento.

— É melhor assim — comentou Audrey.

— Você já gostou muito dele, não é mesmo?

— Gostei do homem que eu pensei que ele fosse.

MacWhirter balançou a cabeça.

— Acho que todos nós já sentimos isso alguma vez na vida.

Ele continuou falando:

— Tudo terminou bem. O superintendente Battle pôde conseguir o que queria usando a minha história...

Audrey o interrompeu, dizendo:

— Sim, ele de fato usou a sua história para conseguir o que queria. Entretanto não acredito que você tenha conseguido enganá-lo. Ele deliberadamente fechou os olhos.

— Por que está dizendo isso?

— Quando estávamos conversando, ele mencionou que tinha sido uma sorte você ter visto o que viu ao luar. Logo adiante, acrescentou algo sobre ter sido uma noite chuvosa.

MacWhirter ficou perplexo.

— Ele está certo. Duvido muito que na noite de segunda-feira eu pudesse ter visto qualquer coisa.

— Não tem importância — afirmou Audrey. — Ele sabia que o que você alegou ter visto era o que realmente tinha acontecido. Há, entretanto, uma explicação para o fato de ter provocado Nevile até desmascará-lo: no momento em que Thomas contou sobre mim e Adrian, ele suspeitou de Nevile. Sabia que tinha se fixado na pessoa errada, estando porém certo a respeito da natureza do crime. O que precisava era de alguma evidência para ser usada contra Nevile. Ele queria, como ele mesmo disse, um milagre... e você foi a resposta às preces do superintendente Battle.

— Essa é uma coisa muito esquisita para ele dizer — falou MacWhirter secamente.

— Como você está vendo, você é um milagre. O meu milagre especial.

MacWhirter respondeu de modo grave:

— Eu não gostaria que você sentisse que me deve algum favor. Vou sair de sua vida...

— Isso é preciso? — indagou Audrey.

Ele a encarou, fazendo com que ficasse ruborizada.

— Por que não me leva com você? — pediu ela.

— Você não sabe o que está dizendo!

— Sim, sei. Estou fazendo algo muito difícil... mas algo que para mim tem mais importância do que a própria vida ou a morte. Sei que temos pouco tempo. A propósito, sou muito convencional e gostaria de me casar antes de partirmos.

— Naturalmente — disse MacWhirter, profundamente chocado. — Você não imaginou que eu fosse capaz de lhe propor uma coisa diferente.

— Estou certa de que não — assegurou Audrey.

— Eu não sou o seu tipo — observou MacWhirter. — Pensei que se casaria com aquele sujeito calado, que gosta de você há tanto tempo.

— Thomas? Querido e fiel Thomas! Ele é fiel demais. Manteve-se leal à imagem da garota que amou anos atrás. Porém a pessoa de quem ele realmente gosta é Mary Aldin, apesar de ele ainda não saber disso.

MacWhirter aproximou-se dela e falou gravemente:

— Você está falando sério?

— Sim. Quero ficar com você para sempre e nunca mais sair do seu lado. Se for embora, jamais encontrarei alguém como você, e meus dias futuros serão muito tristes.

MacWhirter respirou fundo. Pegou a carteira e examinou cuidadosamente o seu conteúdo.

— Uma licença especial de casamento custa caro. Amanhã cedo vou ter que ir ao banco.

— Eu poderia lhe emprestar algum dinheiro — murmurou Audrey.

— Você não vai fazer nada disso. Quando me casar, eu pago a licença de casamento. Compreendeu?

— Não precisa ficar tão sério — disse Audrey suavemente.

Chegando mais perto dela, MacWhirter falou carinhosamente:

— Na última vez em que a tive em meus braços, você parecia um pássaro, debatendo-se para escapar. Agora nunca mais a deixarei fugir...

Surpreso com o desfecho desse mistério?

Não deixe de conferir outros desafios que
a Rainha do Crime preparou para seus detetives:

A mansão Hollow

Assassinato no Expresso do Oriente

Cem gramas de centeio

Morte na Mesopotâmia

Morte no Nilo

Nêmesis

O mistério dos sete relógios

Os crimes ABC

Os elefantes não esquecem

Os trabalhos de Hércules

Um corpo na biblioteca

Convite para um homicídio

M ou N?

Casa do penhasco

Treza à mesa

O Natal de Poirot

Este livro foi impresso na China, em 2022, para a HarperCollins Brasil. A fonte usada no miolo é Bembo, corpo 11/14.